Helga Köster

Brigitte Diät

Das 1000 Kalorien Programm

Über 400 Rezepte
zum Schlankwerden
und
Schlankbleiben

Bertelsmann
Ratgeberverlag

Illustration und Einbandgestaltung
von Elke Otto

© Verlagsgruppe Bertelsmann GmbH /
Bertelsmann Ratgeberverlag, München · Gütersloh · Wien 1974   2 · 43210
Gesamtherstellung: Mohndruck Reinhard Mohn OHG, Gütersloh
Alle Rechte vorbehalten
Printed in Germany · ISBN 3–570–04197–2

Inhalt

Vorwort

Jeder zweite ringt um seine schlanke Linie. Jeder fünfte ist viel zu fett. Und 40 Prozent aller Todesfälle sind auf Herz-Kreislauf-Krankheiten zurückzuführen, die oft durch falsche Ernährung und Übergewicht entstehen. Noch nie wurden so viele Selbstmorde mit Messer und Gabel begangen wie heute. Aber noch nie waren sich die Menschen so einig, daß man gesünder leben müßte. Allein diese Erkenntnis verringert nicht das Risiko, das zu viele Pfunde in sich bergen. Man muß etwas gegen die Rettungsringe und Speckpölsterchen tun. Aber was? Es ist nahezu erschütternd, wie wenig viele über Ernährung wissen – wie wenig über die gefährlichen Dickmacher und wie wenig über die Nährstoffe, die einen fit und in Form halten. Es herrscht allgemein große Ratlosigkeit, wenn der Arzt zu einer Schlankheitskur rät oder wenn man die ersten Speckpölsterchen entdeckt, die einen in die nächste Kleidergröße zwingen. Was soll man essen?
Gewiß, es gibt komplizierte Rechenformeln, mit denen sich jeder seine Nahrung zusammenstellen kann, die ein Optimum an Nährstoffen, Vitaminen und Mineralien enthält. Aber wer hat schon Lust, sich seine Mahlzeiten mit langwierigen Rechenaufgaben zu verdienen? Aus diesem Grund ist dieses Buch entstanden. Wir haben allen Molligen und denen, die erst gar nicht dazuzählen wollen, ein **Kursbuch zum Schlankwerden und Schlankbleiben** zusammengestellt. Ein Kochbuch, das genauso gehandhabt werden kann wie jedes andere Kochbuch auch. Nur mit dem Unterschied, daß unsere Rezepte nicht dick machen. Im Gegenteil: Mit diesen Rezepten wird man die Pfunde los. Egal, ob es zwei, zwanzig oder hundertzwanzig Pfund sind, die man opfern möchte. Trotzdem: Erwarten Sie keine Wunder. Vor Ihnen liegt

eine Diät, die schon Tausende ausprobiert haben – mit Erfolg. Aber auch die **Brigitte-Diät** kann in einer Pleite enden, wenn sie nur zwei oder drei Tage durchgehalten wird. Und damit Sie nicht aufstecken, bevor sich die ersten Erfolge eingestellt haben, wollen wir mit diesem Buch versuchen, Ihnen auch während der Kur ein wenig moralische Hilfestellung zu geben. Wir haben Ihnen einen Kurs abgesteckt, auf dem Sie beim Ringen mit den überflüssigen Pfunden sicher zum Ziel kommen können. Wir sagen Ihnen auch, wie Sie auf diesem Kurs bleiben können. Was wir Ihnen nicht mitliefern können, ist das bißchen Energie und Willensstärke, die müssen Sie selbst aufbringen, wenn Sie das Ziel erreichen wollen.

Der richtige Weg zur guten Figur

Wer wird dick und wer bleibt dünn?

Ehrlich gesagt, die Wissenschaftler wissen das auch nicht so genau. Die Theorie, daß es an den Drüsen liege, trifft in höchstens drei von hundert Fällen von Übergewicht zu. Aber warum sind die übrigen 97 dick, wenn die Drüsen richtig funktionieren? Daß Fettsucht erblich ist, wird schon lange bezweifelt. Kein Zweifel aber besteht daran, daß **schlechte Eßgewohnheiten** vererbt werden können. Viele dicke Mütter nötigen ihre Kinder zum Essen, damit sie später auch einmal »groß und stark« werden. Diese überfütterten Kinder werden dick und neigen auch als Erwachsene zu chronischer Freßlust. Das sind auch die Dicken, denen es nur mit großem Energieaufwand gelingt, mit Magerkost auf das Normal- oder sogar Idealgewicht zu kommen. Zur Zeit sind amerikanische Fettsucht-Forscher dabei, in Universitätskliniken und Labors mit Hilfe von Reihenuntersuchungen und Tierversuchen herauszufinden, ob das Vorratslager an Fettzellen vielleicht im Sandkisten-Alter angelegt wird. Wenn sich diese Theorie als richtig erweist, kann jeder dritte Übergewichtige die Schuld an seinen vielen Pfunden der eigenen Mutter in die Schuhe schieben. Das aber würde wiederum bedeuten, daß diese Schwergewichtler keine andere Chance haben, auf ein normales Gewicht zu kommen, als ständig kontrolliert zu essen. Das heißt also, ein Leben lang diät zu leben.
Die, an denen der Kelch in der Kindheit vorbeigegangen ist und die die Schulzeit rank und schlank überstanden haben, brauchen nicht zu frohlocken: Auch sie können später noch dick werden. Zum Beispiel während der Pubertätszeit, während Schwangerschaften, in den

Wechseljahren oder bei Milieu-, Ernährungs- oder Berufswechsel. Plötzlich sitzen sie auf Pfunden und wissen nicht, warum! Die häufigste Ursache für Gewichtszunahmen während dieser Perioden ist eine **Störung des seelischen Gleichgewichts.** Viele reagieren auf besondere nervliche Belastungen, auf Kummer und Sorgen, indem sie das Essen einstellen. Andere dagegen – und das ist wohl die Mehrzahl – reagieren genau umgekehrt: Sie versuchen, sich mit Kuchen und Keksen zu trösten. Die Folge: Die Pfunde schleichen sich ganz heimlich auf die Waage. Dieser Gruppe von Molligen ist relativ einfach zu helfen. Mit einer guten Diät verlieren sie die angefutterten Pfunde in kurzer Zeit. Die

Gefahr, daß sie sie bei der nächsten Krise in ebenso
kurzer Zeit wieder zunehmen, ist aufgrund der seelischen Labilität ziemlich groß.
Alle Molligen haben aber eins gemeinsam: Sie essen.
Sie essen, egal, ob der Magen voll oder leer ist. Da,
wo bei Normalgewichtigen ein Sättigungsgefühl eintritt,
passiert bei Molligen gar nichts. Sie essen und essen
und sind unfähig, ihre Nahrung mit dem Willen zu do-
sieren. Sie liefern ihrem Körper ständig ein Über-
angebot an Nahrung, das weit höher liegt als das, was
der Körper überhaupt braucht. Und das, was er nicht
braucht, legt er als Reserve in Form von Speckpolstern
an. Solange das Angebot an Nahrung größer ist als der
Bedarf, bleibt der Dicke dick. Wenn das Angebot über-
einstimmt mit dem, was der Körper verbrauchen kann,
dann bleibt das Gewicht konstant. Wenn aber der Körper weniger Nahrung bekommt, als er eigentlich braucht,
dann nimmt er sich das von den vorhandenen Reserven.
Und das bedeutet, daß ein überflüssiges Pfund nach
dem anderen verschwindet: Der Mensch nimmt ab.
Solange es noch keine Pille gibt, mit der man mühelos
Pfund für Pfund verschwinden lassen kann, gibt es nur
ein Mittel, mit dem man die Pfunde zum Schmelzen
bringen kann – und das ist eine Diät.

Wieviel dürfen Sie wiegen?

Bevor Sie Ihren überflüssigen Pfunden den Kampf an-
sagen, stellen Sie erst einmal fest, wieviel Pfund auf
der Strecke bleiben sollen. Ziehen Sie von Ihrem
jetzigen Gewicht das für Sie zutreffende Idealgewicht
– Sie können es aus den Tabellen ablesen – ab. Die
Differenz ergibt die Pfunde, mit denen Sie es jetzt zu
tun bekommen.
Das Idealgewicht – es liegt 10 Prozent unter dem Normalgewicht und ist das Gewicht, mit dem man die
höchste Lebenserwartung hat – ist abhängig von Ge-
schlecht, Körpergröße und Knochenbau. Jemand mit
stabilem Knochenbau darf bei gleicher Größe bis zu

Idealgewicht
Frauen

Idealgewicht
Männer

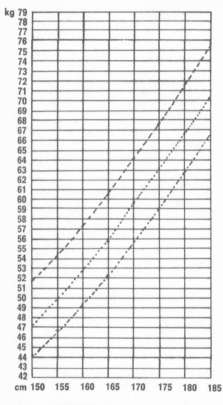

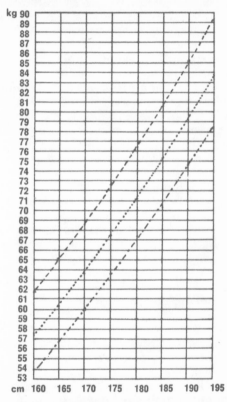

FRAUEN

-------- schwerer Knochenbau (± 4 kg)

·············· mittelschwerer Knochenbau (± 3 kg)

—·—·— leichter Knochenbau (± 2 kg)

MÄNNER

-------- schwerer Knochenbau (± 4,5 kg)

·············· mittelschwerer Knochenbau (± 3,5 kg)

—·—·— leichter Knochenbau (± 2 kg)

 Idealgewicht: Gewicht mit der höchsten Lebenserwartung, gewogen in leichten Hauskleidern ohne Schuhe.

16 Kilogramm mehr wiegen als jemand mit leichten Knochen. Wenn Sie Ihren Knochenbau nicht richtig einschätzen können, sollten Sie bei Ihrem nächsten Arztbesuch einmal nachfragen, in welche Kategorie der Arzt Sie einordnen würde. Auf der unteren Skala unserer Tabellen finden Sie die Körpergröße in Zentimetern. Suchen Sie Ihre Größe, und fahren Sie mit dem Finger senkrecht hoch bis zu der Linie, die Ihrem Knochenbau entspricht. An der Skala auf der linken Seite können Sie nun Ihr Idealgewicht in Kilogramm ablesen. Dieses Gewicht ist nur ein Anhaltspunkt: Es kann bei Frauen um 2 bis 3,5 Kilogramm und bei Männern um 2,5 bis 4,5 Kilogramm – je nach Körperbau – nach oben oder unten abweichen. Diese Abweichungen sind unter den Tabellen in den Klammern angegeben. Ein Beispiel: Eine Frau ist 170 Zentimeter groß und hat einen mittelschweren Körperbau. Sie darf 59,5 Kilogramm ± 3 Kilogramm wiegen. Ihr Idealgewicht liegt zwischen 56,5 Kilogramm und 62,5 Kilogramm.

Welche Hilfsmittel gibt es außer Diät noch zum Dünnerwerden?

Es gibt eine ganze Menge von Medikamenten, Hausmitteln und Methoden, die das harte Geschäft des Abnehmens erleichtern sollen.
Appetitzügler bremsen das Hungergefühl und kurbeln den Körper an. Das kann zu Nervosität, Schlaflosigkeit und Gereiztheit führen. Und wer trotz gebremsten Hungers seine Eßgewohnheiten beibehält, nimmt kein Gramm ab.
Dann gibt es kalorienarme Breie **mit Quellstoffen**, die im Magen aufquellen und ihn füllen, so daß ihm das Knurren vergeht. Wer sich nur an den Brei hält, nimmt allein durch die geringe Kalorienzufuhr ab. Der Spaß vergeht Ihnen spätestens nach einer Woche: Denn dann können Sie erfahrungsgemäß den Brei nicht mehr sehen!
Ein einfaches, manchmal mühsames und wenig wirk-

sames Mittel sind **Sport und Bewegung.** Wer zehn Kilometer stramm marschiert, büßt dabei vielleicht 100 Gramm ein. Dauerübungen sind sinnvoll, einzelne Kraftakte machen sich auf der Waage kaum bemerkbar.

Massagen machen nur den Masseur, nicht den Massierten dünner. Die Vorstellung, daß die Pfunde durch das Massieren dahinschmelzen, ist absolut unsinnig.

Abführmittel bringen Nahrungsmittel schnell durch den Verdauungsapparat, ohne daß die Nahrung richtig verwertet wird. Mit diesen Mitteln kann man seinen Darm so verwöhnen, daß die ganze Verdauung durcheinandergerät. Dann helfen die stärksten Mittel nichts mehr, und es kann zu schweren Darmstörungen kommen.

Was können Sie von einer Wunderdiät erwarten?

Eigentlich gar nichts. Wunderdiäten sind immer schlechter als ihr Ruf. Egal, ob radikale Hungerkuren oder einseitige Ernährungsprogramme, sie alle scheitern spätestens an dem Punkt, an dem die Einseitigkeit einen zu langweilen beginnt. Hungerperioden werden oft mit guten Vorsätzen und starkem Willen begonnen. Doch die Niederlage läßt nicht lange auf sich warten. Im Körper kommt es zum Absinken des Blutzuckerspiegels – der Erfolg: Schwächezustände bis zum Zittern, Schweißausbrüche und ein unüberwindlicher, durch den Willen nicht zu hemmender Heißhunger. Dann kommt der Rückfall, man ißt und ißt und holt schnell nach, was man sich durch mühsames Hungern vom Mund abgespart hat. Noch schlimmer ist die seelische Niederlage! Nach einer gescheiterten Kur fühlt man sich als restloser Versager.

Fragwürdig sind auch einseitige Diäten, wie zum Beispiel **Wein-, Obst- oder Eierkuren.** Nach kurzer Zeit kann es schon zu Stoffwechselstörungen kommen. Abgesehen von den Schäden, die der Körper dabei erleiden kann, scheitern diese Abnehmversuche meistens

daran, daß man sich das betreffende Nahrungsmittel
einfach übergegessen hat.

Wie sieht die ideale Diät aus?

Ein dicker Mensch ist dick, weil er mehr ißt, als sein
Körper braucht. Wenn er abnehmen will, muß das Nah-
rungsangebot weit unter dem Bedarf liegen, damit die
Reserven abgebaut werden. Nun darf man aber die
Nahrungszufuhr nicht beliebig drosseln. Ernährungs-
wissenschaftler haben herausgefunden, daß das **Be-
darfsminimum** bei **1 000 Kalorien pro Tag** liegt, wenn
der Körper bei dieser Nahrungsmenge auch noch voll
belastbar bleiben muß. In diesen 1 000 Kalorien kann
man alle wichtigen Nährstoffe, Vitamine und Mineralien
unterbringen, die der Körper täglich braucht.
Für den Erfolg der Kur ist es außerdem wichtig, daß
diese gedrosselte Ernährung nicht wesentlich von dem
abweicht, was man normalerweise ißt und worauf man
häufig Appetit hat. Lieblingsspeisen müssen in diese
Ernährung eingebaut werden können. Wenn man nämlich auf sie verzichten muß, dauert es nicht lange, bis
man die ganze Diät aufsteckt.
Ein wesentlicher Punkt ist der Lerneffekt, den eine gute
Diät mitbringen muß. Es genügt nicht, daß Sie wochen-
lang nach besonderen Richtlinien leben, die Sie nach
Beendigung der Kur restlos vergessen. Eine Diät muß
Sie dazu erziehen, daß Sie auch nach der Kur – wenn
Sie Ihr Normal- oder sogar Ihr Idealgewicht erreicht
haben – maßvoll und vernünftig essen. Denn sonst ist
der Erfolg der besten Diät innerhalb von wenigen
Wochen wieder dahin.

Die Brigitte-Diät

Diese drei Gesichtspunkte haben wir bei der Entwick-
lung der Brigitte-Diät berücksichtigt: Sie bekommen
1 000 Kalorien pro Tag, die alle wichtigen Nährstoffe,

Vitamine und Mineralien enthalten. Sie brauchen Ihre Essensgewohnheiten nicht radikal umzustellen. Und Sie lernen durch die Diät, sich auch in Zukunft richtig zu ernähren.

Wir sind von der Überlegung ausgegangen, daß ein übergewichtiger Mensch – egal, ob er fünf oder fünfzig Pfund abnehmen will – wie jeder andere auch, sich täglich sein Essen zubereiten muß, oder es wird für ihn zubereitet. Normalgewichtige Menschen können ein Kochbuch zu Hilfe nehmen. Für Mollige gab es so etwas bisher nicht. Das einzige, was es für sie auf dem Markt gab, waren ein paar Kochrezepte mit Kalorienangaben und endlose Essensfahrpläne, an die man morgens, mittags und abends fest gebunden war. Woche für Woche, Monat für Monat. Im Oktober konnte man sich bereits ausrechnen, was man im Dezember essen durfte. Wir haben nach einem System gesucht, mit dem man diese kalorienarmen Magenfahrpläne ablösen konnte. Dieses System mußte erstens die wesentlichen Merkmale einer gesunden Diät berücksichtigen und zweitens im Gebrauch ebenso praktisch und flexibel sein wie die Rezepte eines normalen Kochbuches. Deshalb haben wir die 1 000 Kalorien so unterteilt:

Frühstück enthält 400 Kalorien
Warme Mahlzeit enthält 300 Kalorien
Kalte Mahlzeit enthält 300 Kalorien

Es spielt im Tagesspeisezettel überhaupt keine Rolle mehr, welches Frühstück aus dieser Rezeptsammlung Sie mit welcher warmen oder kalten Mahlzeit kombinieren: Solange Sie aus jeder Rubrik am Tag je eine Mahlzeit einnehmen, bekommen Sie die 1000 Kalorien immer in der gleichen Zusammensetzung: also etwa **70 Gramm Eiweiß, 90 Gramm Kohlehydrate** und etwa **30 Gramm Fett**, außerdem alle wichtigen **Vitamine** und **Mineralstoffe**. Diejenigen, die nicht streng mit 1 000 Kalorien leben wollen, finden auch noch eine ganze Reihe von **Zwischenmahlzeiten** in diesem Buch, mit denen sie die Diät aufstocken und erweitern können.

Lassen Sie sich vor der Kur untersuchen

Vor jeder Schlankheitskur – auch vor der Brigitte-Diät –
sollten Sie Ihren Hausarzt aufsuchen und ihm von Ihrer
Absicht berichten. Zeigen Sie ihm die Diät – falls er sie
noch nicht kennt –, damit er gleich weiß, auf welcher
Grundlage die Diät aufgebaut ist. Bitten Sie ihn um eine
Untersuchung. Wenn Sie Kassenpatient sind, wird Sie
Ihr Arzt auch auf Krankenschein untersuchen. Der Arzt
kann Ihnen sagen, ob bei Ihrem derzeitigen Gesund-
heitszustand eine Abmagerungskur ratsam ist. Lassen
Sie auch während der Kur gelegentlich **Kontrollunter-
suchungen** machen. Wer eine sehr labile Gesundheit
hat, sollte die Diät nur unter Aufsicht eines Arztes
machen. Wenn während der Diät irgendwelche Störungen auftreten, zögern Sie nicht lange, suchen Sie
Ihren Arzt auf. Nur er kann feststellen, ob es sich um
eine vorübergehende Störung in Ihrem Organismus
handelt oder um den Beginn einer Krankheit. Während
der Kur kann der Körper anfälliger für Krankheiten,
besonders für Infektionen, sein als ohne diese zusätzliche Belastung. Und eine jede Abmagerungskur ist für
den Körper eine Belastung.

Wie lange darf man die Brigitte-Diät machen?

Da in der Brigitte-Diät alle wichtigen Nährstoffe enthalten sind, die der Körper täglich braucht, kann die
Kur zeitlich unbegrenzt durchgeführt werden. Und zwar
so lange, bis Sie Ihr Normalgewicht bzw. Idealgewicht
erreicht haben. Wichtig ist, daß Sie sich während der
Kur strikt an den Diätplan halten und auf keinen Fall
weniger essen.

Eine Kur für jedermann?

Mollige Mütter, Männer und Mädchen haben die Brigitte-Diät mit gleich viel Erfolg schon ausprobiert.

Frauen kommen im Durchschnitt ganz gut mit 1 000 Kalorien pro Tag aus. **Männer** hielten die Kur besser durch, wenn sie die 1 000 Kalorien ein wenig aufstocken durften. In solchen Fällen ist es ratsam, sich im Prinzip an das Frühstück und die warme und kalte Mahlzeit aus dem Kurprogramm zu halten und die Diät mit kleinen Zwischenmahlzeiten oder einem Glas Bier oder Wein bis auf 1 500 Kalorien zu erweitern. Diese Kalorienmenge braucht ein Mann, der einer mittelschweren Tätigkeit nachgeht. Ein Mann, der den ganzen Tag im Büro sitzt, ist im Durchschnitt mit 1 300 Kalorien ganz gut bedient. **Ältere Menschen** dürfen die Kur ohne Bedenken machen, zumal die überflüssigen Pfunde nur unnötig den Kreislauf belasten. Wer über Fünfzig ist, sollte die Kur auf jeden Fall unter Aufsicht eines Arztes durchführen. Das gleiche gilt auch für Jugendliche. Gerade eitle **Teenager** versuchen oft, sich mit Hilfe der Diät – bei der sie meistens noch die Hälfte weglassen, um schneller zum Ziel zu kommen – in Kindergrößen zu hungern. Vor diesem Mißbrauch können wir gar nicht oft genug warnen! Deshalb empfehlen wir diesen jungen Mädchen immer wieder, die Kur nur unter der **Kontrolle eines Arztes** zu machen und sich wirklich – ohne Ausnahme – an die Diätanweisungen zu halten. Grundsätzlich können Jungen und Mädchen nach Abschluß der Pubertät mit dieser Kur beginnen.

Keine Diät, wenn ein Baby kommt

1 000 Kalorien pro Tag während der Schwangerschaft sind viel zuwenig. Es wird empfohlen, während dieser Zeit 2 400 Kalorien pro Tag zu sich zu nehmen. Wenn Sie aber mit Übergewicht zu kämpfen haben, reichen in den ersten Monaten 2 000 Kalorien. In den drei letzten Monaten sollten Sie aber auf 2 400 Kalorien gehen. Grundsätzlich machen Sie keinen Fehler, wenn Sie sich auch während der Schwangerschaft an die Brigitte-Diät-Rezepte halten. Sie müssen nur alles verdoppeln, damit Sie auf 2 000 Kalorien kommen. Denn unsere

Diät enthält alle wichtigen Nährstoffe, die dem Körper
während der Schwangerschaft zugeführt werden müssen. Nach der Stillzeit können Sie wieder mit der
Schlankheitskur beginnen. Gehen Sie im ersten Monat
auf 1 500 Kalorien und dann auf 1 000, bis Sie Ihr Idealgewicht erreicht haben.

Vitamine sind wichtig

Vitamine sind Wirkstoffe, die der Körper braucht, selbst
aber nicht bilden kann. Von ihnen hängt der richtige
Verlauf vieler komplizierter Stoffwechselvorgänge ab.
Ein Mangel an Vitaminen kann sich durch ein Absinken
der geistigen und körperlichen Leistungsfähigkeit,
durch Nervosität und besondere Anfälligkeit gegen In-
fektionskrankheiten bemerkbar machen. Unreine Haut,
glanzloses Haar und brüchige Fingernägel sind äußere
Anzeichen dieses Mangels. Normalerweise nimmt man
mit den Mahlzeiten genügend Vitamine auf. Die Diät-
Mahlzeiten in der Brigitte-Kur sind so berechnet, daß
alle notwendigen Vitamine trotz der kleineren Portionen immer noch darin enthalten sind. Dennoch kann
die Natur einen Strich durch unsere Rechnung machen
und zu bestimmten Jahreszeiten den Vitamingehalt in
verschiedenen Nahrungsmitteln absinken lassen. Damit
sich bei Ihnen während der Kur auf keinen Fall ein Mangel an Vitaminen und Mineralstoffen bemerkbar machen
kann, empfehlen wir, zusätzlich zur Kur ein **Multivitamin-
Mineralpräparat** einzunehmen. Dieses Präparat bekommen Sie in der Apotheke. Halten Sie sich an die Ge-
brauchsanweisung und die vorgeschriebene Menge des
jeweiligen Präparates. Und – besonders wichtig: Nehmen Sie das Präparat regelmäßig ein!

Der pfundige Erfolg stellt sich bald ein

Wenn Sie nun grünes Licht von Ihrem Arzt für die Brigitte-Diät bekommen haben, werden Sie sich wundern,

wie schnell die ersten Pfunde schwinden. Es dauert keine zwei Wochen, dann wird Ihre Waage den Verlust von acht bis zehn Pfund zu vermelden haben. Dieser Abnahmeerfolg beruht nicht nur auf abgewanderten Fettpolstern, sondern zum Teil auch auf einem Flüssigkeitsverlust. Nach diesem Anfangserfolg geht es dann im Durchschnitt mit **ein bis zwei Pfund pro Woche** weiter. Vorausgesetzt allerdings, Sie halten sich wirklich ganz streng an die Diät und werden nicht beim Anblick Ihrer heißgeliebten Schokoladenplätzchen wieder schwach.

Auch wer sich ganz genau an die Diät-Spielregeln hält, braucht sich nicht zu wundern, wenn es einmal einen Gewichtsstillstand gibt. Richtig und wichtig ist es, gerade dann weiterzumachen und nicht zu resignieren. Der Körper ist wie ein kompliziertes Uhrwerk, das manchmal ein wenig unregelmäßig arbeitet. Verlangen Sie nicht zuviel von einem Mechanismus, den Sie jahrelang durch ein Zuviel an Nahrung ständig überfordert haben. Der plötzliche Gewichtsstillstand kann einige

Tage, bei der 150-Pfund-Gewichtsgrenze sogar drei bis
vier Wochen, dauern, dann geht es mit den Pfunden
wieder bergab. Allerdings nur, wenn Sie nicht versucht
haben, diesen (manchmal auch seelischen) Tiefpunkt
mit Sahnetorte und Süßigkeiten zu bekämpfen.
Wenn Sie sich dem Idealgewicht nähern und es an den
Kernspeck geht, dann schwinden die Pfunde nur noch
grammweise. Auch hier heißt es dann: durchhalten!
Verderben Sie sich nicht Ihren stattlichen und mühsam
erkämpften Erfolg, indem Sie nun das Handtuch in den
Ring und das Kochbuch in die Ecke werfen und sich
schmollend in die Nähe des Kühlschrankes zurück-
ziehen. Haben Sie Geduld, Sie schaffen es. Das Ziel
ist nah!
Übrigens, noch ein Tip: Wir haben immer wieder die
Erfahrung gemacht, daß diejenigen, die die Diät **in
einem Rutsch** durchgemacht haben, ihr Idealgewicht am
leichtesten erreichten. Wer immer wieder Anlauf nimmt,
die Kur abbricht, um nach einiger Zeit wieder in die
Diät-Startlöcher zu steigen, der ermüdet sehr schnell
auf diesem mühseligen Weg und gibt eines Tages end-
gültig auf.

Vorsicht: Verstopfungsgefahr!

Es kann passieren, daß während der Kur Ihre Verdauung unregelmäßig wird. Durch die Diät bekommt
der Darm weniger zu tun und wird träge. Körperliche
Bewegung und eine Reihe von natürlichen Mitteln helfen diesem Übel meistens ab. Wenn nur eines dieser
Mittel regelmäßig angewendet wird, müßte die Verdauung wieder in Gang kommen.

1. Morgens eine halbe Stunde Gymnastik.
2. Morgens zehn Minuten Bürstenmassage.
3. Morgens zwei eingeweichte Backpflaumen.
4. Morgens zwei kleingehackte Feigen mit zwei Eßlöffel Slim-Öl, das Sie im Reformhaus bekommen.
5. Abends ein bis zwei Tassen Abführtee.

6. Abends je ein Eßlöffel Milchzucker und grob geschroteten Leinsamen mit Tee (Vorsicht: enthält 200 Kalorien!).
7. Einmal täglich einen Spaziergang von mindestens einer Stunde.
8. Einmal täglich eine 100-Kalorien-Zwischenmahlzeit, die Gemüse, Obst oder Joghurt enthält.
9. Einmal täglich ein Glyzerin-Zäpfchen (aus der Apotheke).
10. Dreimal täglich einen Teelöffel Senfkörner (aus dem Reformhaus).

Wenn die Regel ausbleibt

Durch die rapide Gewichtsabnahme ist es leicht möglich, daß Zyklusstörungen auftreten. Wenn Ihre Regel länger als drei Monate ausbleibt, müssen Sie sich von einem Frauenarzt untersuchen lassen. Er wird Ihnen dann Hormone verordnen, die die Störungen beseitigen. Es kann zwar passieren, daß durch diese Hormongaben eine Gewichtszunahme – meistens ist sie geringfügig – eintritt. Übrigens: Seien Sie **vorsichtig mit der Knaus-Ogino-Methode,** auch wenn Sie sie bis jetzt erfolgreich angewendet haben. Durch den Gewichtsverlust können sich die unfruchtbaren Tage verschieben!

So stillen Sie Ihren Durst

Während der Diät dürfen Sie alles trinken, was keine Kalorien enthält: Mineralwasser mit und ohne Kohlensäure, Kaffee und Tee (ohne Zucker und Milch!). Wir empfehlen Ihnen Mineralwasser, weil Sie davon so viel trinken können, wie Sie wollen, ohne daß es Ihnen schadet (im Gegensatz zu Riesenmengen schwarzen Kaffee oder Tee). Mehr als einen Liter Flüssigkeit sollten Sie pro Tag aber nicht zu sich nehmen. Ein Tip: Mit ein paar Tropfen Zitronensaft und einem Eiswürfel ist kalter Tee erfrischender und stillt den Durst schnel-

ler. Alle **alkoholischen Getränke** – auch Bier –, alle kalorienreichen **Fruchtsäfte** und Erfrischungsgetränke sind während der Brigitte-Diät **verboten!**

Daran sollten Sie bei der Diät auch noch denken

Wenn Sie sich entschlossen haben, Ihre vielen über-flüssigen Pfunde durch die Brigitte-Diät loszuwerden, müssen Sie die folgenden **zwölf Punkte** in Ihren Plan einkalkulieren:

1. Sie dürfen nicht erwarten, daß Ihnen Ihre Familie oder Freunde große Hilfestellung geben.
2. Im Gegenteil: Sie müssen sogar damit rechnen, daß man Ihnen diesen Entschluß mit allen Mitteln aus-reden will. Die häufigsten Argumente sind: So wie jetzt ist deine Figur gerade richtig. – Das hältst du doch nicht durch! – Wenn du abnimmst, wirst du nicht hübscher, höchstens unansehnlich und unaus-stehlich. – Solche Ratschläge überhören Sie am besten. Sie kommen meistens von Leuten, die es auch nötig hätten abzunehmen, sich zu dem Ent-schluß aber bis jetzt nicht haben durchringen kön-nen.
3. Auch bei Ihrem Arzt können Sie mit Ihrem Vorhaben auf Widerstand stoßen. Wechseln Sie den Arzt! Su-chen Sie sich einen, der Verständnis für Ihr – im wahren Sinne des Wortes – schwerwiegendes Pro-blem hat.

4. Machen Sie sich darauf gefaßt, daß Sie – bei konsequenter Kur – Ihre Kleider alle vier Wochen zur Schneiderin zum Enger- oder Kürzermachen bringen müssen.

5. Tragen Sie, solange Sie noch abnehmen, Ihre alten Kleider auf. Kaufen Sie sich nichts Neues – erst wenn Sie Ihre Traumfigur erreicht haben.

6. Kaufen Sie sich während der Abmagerungskur keine teure Wäsche. Sie wird Ihnen auch zu groß und müßte dauernd geändert werden. Darunter leidet aber die Paßform. Überbrücken Sie die Zeit der Kur mit etwas billigeren BHs und Miedern.

7. Kaufen Sie sich keine teuren Schuhe. Auch Ihre Füße können eine Nummer kleiner werden!

8. Tragen Sie während der Kur keine kostbaren Ringe. Ihre Finger werden dünner – Sie könnten die Ringe verlieren.

9. Pflegen Sie Ihr Gesicht, Ihr Haar und Ihre Haut während der Kur besonders sorgfältig. Damit Sie auch

wirklich schön sind, wenn Sie Ihre Traumfigur erreicht haben.

10. Machen Sie viel Gymnastik, oder gehen Sie schwimmen – möglichst täglich, mindestens zwanzig Minuten lang. Ihre Haut könnte Falten bekommen, wenn sie durch die Fettpölsterchen nicht mehr strammgehalten wird.

11. Lassen Sie sich durch nichts beirren, wenn Sie eine Abmagerungskur nötig haben. Nicht die anderen leiden unter Ihren überflüssigen Pfunden – sondern nur Sie!

12. Halten Sie durch, bis Sie Ihr Traumgewicht erreicht haben – auch wenn es manchmal schwierig ist! Sonst haben es alle Besserwisser (siehe Punkt 2) doch besser gewußt. Und Sie haben zum Schaden zu allem Überfluß auch noch den Spott.

Viele Tips, die Ihnen das Abnehmen erleichtern

Hilfestellung beim Abnehmen leistet Ihnen eine Gewichtskurve, die Sie mit Karopapier, Lineal und Filzschreiber ganz einfach selber machen können. Am unteren Rand werden die Wochen eingetragen und auf der linken Skala die Pfunde. Wenn Sie jetzt zum Beispiel 150 Pfund wiegen und auf 120 kommen wollen, tragen Sie die Pfunde von 120 bis 150 links ein. Die 150 Pfund stehen natürlich oben, denn die Kurve soll ja sinken. Wiegen Sie sich immer an einem bestimmten Tag in der Woche, möglichst ohne Kleidung, und tragen Sie Ihr Gewicht gleich in die Kurve ein, am besten mit einem dicken Rotstift. Die Kurve wird an einem gut sichtbaren Fleck in der Wohnung aufgehängt. So können Sie ganz genau beobachten, wie Ihre Pfunde dahinschwinden und Ihr Selbstbewußtsein zunimmt. Wer besonders gründlich vorgehen will, mißt auch Oberweite, Taille und Hüfte und trägt die Maße in eine Tabelle ein.

Wiegen Sie sich nicht täglich. Sie könnten sonst den

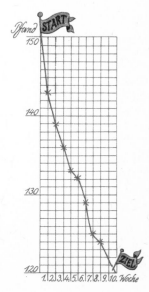

Eindruck kriegen, daß sich die Pfunde nur sehr langsam von Ihnen trennen.

Kontrollieren Sie Ihre Waage. Stellen Sie sich einmal bei Freunden auf die Badezimmerwaage, auf die Bahnhofswaage und die Personenwaage in der Badeanstalt. Wenn das Gewicht überall dasselbe ist, dann geht Ihre Waage zu Haus richtig. Wenn Sie Abweichungen feststellen, ist Ihre Waage vielleicht reparaturbedürftig.

Ein kleiner Trick, mit dem Sie sich selber vor dem nächsten unbedachten Griff in den Kühlschrank warnen und bewahren können: Kleben Sie das schlimmste Foto aus Ihrer »schwersten Zeit« sichtbar an den Kühlschrank. Bei diesem Anblick zuckt Ihre Hand – hoffentlich – sofort zurück!

Alle Molligen haben eine schwache Stelle. Und zwar eine Lieblingsknabberei, bei deren Anblick sie trotz aller Vorsätze schwach werden. Finden Sie heraus, welche Ihre schwache Stelle ist. Sind es Plätzchen oder Pralinen, Pommes frites oder Paranüsse? Sorgen Sie dafür, daß diese Verführer nicht über Ihre Türschwelle kommen. Wenn Sie sie aber schon im Haus haben, machen Sie einen großen Bogen drumherum. Können Sie gar nicht widerstehen und sündigen Sie trotz besseren Wissens und schlechten Gewissens, dann bestrafen Sie sich für diesen Fehltritt mit einer empfindlichen Spende in den Bauch Ihres Sparschweins.
Wenn Ihre schwache Stelle auf der süßen Seite liegt, dann behelfen Sie sich mit Kaugummi: Er ist auch süß und hat pro Stück nur 10 Kalorien.

Wer bei Salzigem schwach wird, sollte immer ein Stück gesalzene grüne Gurke griffbereit haben. Gurke ist ziemlich ungefährlich. 100 Gramm haben nur 7 Kalorien.

Wer um jeden Zentimeter an Taillenumfang ringt, kann sich ein Bauchkettchen zulegen. Am Bauchkettchen

merken Sie sofort, ob Sie abgenommen haben. Und es signalisiert durch Zwicken und Zwacken, wenn sich Speckpölsterchen in der Taillengegend ansiedeln.

Heben Sie wenigstens ein Kleid oder einen Anzug auf, in die Sie vor der Kur gepaßt haben. Schlüpfen Sie hin und wieder einmal hinein, um zu sehen, wie sichtbar der Erfolg schon ist. Am Ende der Kur, wenn Sie Ihr Ziel erreicht haben, sollten Sie sich in diesem Kleidungsstück im Familienkreis vorstellen. Das Gelächter dürfen Sie ruhig als neidlose Anerkennung werten.

Wenn es an die letzten überflüssigen Pfunde geht, kaufen Sie sich einen Bikini in Ihrer Traumgröße. Probieren Sie ihn vor dem Spiegel an, und prüfen Sie kritisch, welche Speckpölsterchen noch verschwinden müssen, bevor Sie ihn in der Öffentlichkeit tragen können. Der Bikini spornt Sie vielleicht auch an auf den letzten Metern Ihres pfundigen Dauerlaufs.

Eröffnen Sie eine private Bank in Form eines Sparschweins. Während Sie abnehmen, sollte das Sparschwein zunehmen. Zahlen Sie freiwillig für jedes verlorene Pfund einen kleinen Betrag ein. Es kann eine Mark sein, es kann auch mehr sein. Das Schwein nimmt

Ihnen größere Summen nicht übel. So können Sie nicht in Versuchung geraten, das Taschengeld für unerlaubte Süßigkeiten anzulegen oder in Kleidungsstücken, die nach einer Weile doch wieder zu weit sind. Am Ende der Kur haben Sie eine beachtliche Summe beisammen, die sicherlich ausreicht für ein schickes Kleid, einen Anzug oder sogar eine kleine Grundgarderobe in Ihrer Traumgröße.

Verstöße gegen die Diät-Spielregeln sollten Sie streng ahnden. Für jedes zugenommene Pfund zahlen Sie eine empfindliche Buße in den Schweinebauch. Spätestens wenn das Taschengeld knapp wird, dürfen Sie sich keine weiteren Verstöße leisten!

Wer ganz listig vorgeht, läßt sich die Belohnungen von seinem Mann oder seiner Frau zahlen. Die Bußen sollte aber jeder aus erzieherischen Gründen selber tragen, damit die Sünden nicht gleich wieder vergessen werden.

Wenn Sie sich und Ihrem Willen nicht über den Weg trauen, dann machen Sie die Diät mit einer Freundin oder einem Freund zusammen. Einigkeit macht stark. Geteiltes Leid ist halbes Leid. In Gesellschaft läßt es sich halt leichter hungern.

Noch besser ist es sogar, wenn Sie sich gleich mit mehreren zusammenschließen. Treffen Sie sich regelmäßig, überprüfen Sie gegenseitig Ihr neues Gewicht, reden Sie über Ihre Diät-Probleme und gehen Sie gemeinsam zum Turnen und Schwimmen.

Die Erfahrung hat gezeigt: Im Kollektiv hält man die Kur besser durch als im Alleingang!

Das müssen Sie über die Diät noch wissen

Besonders wichtig: Die Zusammenstellung des einzelnen Diät-Rezeptes darf auf keinen Fall verändert werden. Denn jedes Rezept ist genau auf seinen Eiweiß-, Kohlehydrat- und Fettgehalt berechnet. Kleine Umstellungen oder Austauschmanöver würden diese Werte sofort durcheinanderbringen.
Wenn Sie für Ihre Familie normal und für sich diät kochen müssen, brauchen Sie nicht zwei verschiedene Gerichte zuzubereiten. Nehmen Sie das Diät-Rezept als Grundlage, multiplizieren Sie die Zutaten mit der Anzahl aller Esser und nehmen Sie sich Ihren Teil nach der Garzeit genau nach Vorschrift ab. **Das Familien-**

essen kann mit kalorienreichen Lebensmitteln, wie zum Beispiel Nudeln, Kartoffeln, Soße, und einer Extraportion Gemüse, erweitert werden.

Zum Braten ohne Fett nehmen Sie am besten eine beschichtete Pfanne. Sie bekommen sie in Haushaltsgeschäften und Kaufhäusern.

Bei einer Schlankheitskur ist die Küchenwaage mindestens ebenso wichtig wie die Personenwaage. Wenn Sie die vorgeschriebenen Lebensmittel genau abwiegen, können Sie mit der Küchenwaage verhindern, daß die Personenwaage nachher zuviel anzeigt. Übrigens, die Küchenwaage ist nur in der Anfangszeit wichtig. Nach einiger Zeit haben Sie die Portionen im Griff und können sich das Wiegen sparen.

Weder die Brigitte-Diät noch die normale Kost sollte

man zu stark salzen. Wo immer es möglich ist, sollte man das **Salz** durch frische Kräuter und andere milde Gewürze ersetzen. Salz hat nämlich die Eigenschaft, Wasser zu binden. Für jedes Gramm Salz, das dem Körper zugefügt wird, wird gleichzeitig eine Menge Wasser im Gewebe gespeichert. Bei zehn Gramm über-

schüssigem Kochsalz legt sich der Körper eine Wasser-
reserve von einem Liter an. Wer verschwenderisch mit
Salz umgeht, muß die Folge in Kauf nehmen: Die Waage
zeigt gleich ein paar Pfund mehr an. Außerdem erhöht
Kochsalz auch den Blutdruck.
Dagegen dürfen Sie mit fast allen Gewürzen und frischen Kräutern den Diät-Speisezettel interessanter
machen. Viele Gewürze sind auch gleichzeitig sehr ge-
sund. Vorsicht: Einige ausländische Gewürze sind besonders scharf. Sie sollten nur in ganz geringen Mengen
bei Diät-Gerichten verwendet werden.
In manchen Rezepten ist **Milch** und Buttermilch angegeben. Es gibt aber viele, die weder das eine noch das
andere mögen. Hier darf eine Ausnahme gemacht werden, und Milch und Buttermilch dürfen gegen andere
Milchprodukte ausgetauscht werden. Einen Viertelliter
Milch können Sie durch zwei Becher Magermilch-
Joghurt und zusätzliche 10 Gramm Butter oder Margarine ersetzen. Wer keine Buttermilch mag, kann sie
durch Magermilch ersetzen. Magermilch bekommen Sie
selten in den Milchgeschäften. Sie müssen sie sich
aus Magermilchpulver selbst herstellen. Aus der Ge-
brauchsanweisung auf der Packung ersehen Sie, wieviel Pulver Sie für einen Viertelliter Flüssigkeit brauchen. Magermilch läßt sich mit einem Löffel Kakaopulver oder Zitronensaft schmackhaft veredeln. Die
Mengenangabe »1 Becher Milch« entspricht 180 ccm.
Wenn Sie die 10 Gramm **Butter,** die oft in unseren Rezepten vorkommen, nicht jedesmal extra abwiegen
wollen und Ihnen das Teelöffelmaß (10 Gramm) zu un-
genau ist, dann teilen Sie sich Ihre Butter gleich in 10-
Gramm-Portionen ein. Nehmen Sie ein halbes Pfund
Butter und schneiden Sie es waagerecht in fünf gleiche
Teile und senkrecht in fünf gleiche Teile. So erhalten
Sie 25 Butterstückchen. Jedes wiegt 10 Gramm. Legen
Sie die Butterwürfel in eine Schüssel. Zwischen jede
Schicht kommt Pergamentpapier. Die Schüssel stellen
Sie dann in den Kühlschrank. So haben Sie Ihre Butter-
portionen jederzeit griffbereit und ersparen sich das
Wiegen.

In einigen Rezepten geben wir Schnittkäse mit 20 % i. Tr. an. Leider bekommt man diese magere Käsesorte oft nur sehr schwer. Wer diesen **Käse** nicht bei seinem Milchmann oder Lebensmittelladen auftreiben kann, sollte auf den leichter erhältlichen 30prozentigen Schnittkäse ausweichen. Da in den Rezepten nur kleine Käsemengen verwendet werden, fällt der unterschiedliche Fettgehalt kaum ins Gewicht (auch was die Anzahl der Kalorien betrifft), ebensowenig wird er sich im Körpergewicht niederschlagen.

Dampfdrucktöpfe sind eine wesentliche Hilfe für Hausfrauen, die die Diät-Rezepte für ihre Familien nicht erweitern wollen und die normale Mahlzeiten und Diät-Mahlzeiten kochen müssen. Während in einem großen Drucktopf die Mahlzeit für die ganze Familie kocht, gart man in einem Einsatz, den man zusätzlich in den Topf stellen kann, das Diätessen. Vorteil: keine zwei verschiedenen Kochgänge, keine Batterie von schmutzigen Töpfen und eine Kochzeitverkürzung bis zu 70 Prozent. Und noch einen Vorteil hat dieser Schnellkochtopf, die Wohnung wird nicht so stark von Essensgerüchen durchzogen wie beim Kochen mit anderen Töpfen.

Viele Diät-Rezepte lassen sich auch im **Tontopf** zubereiten. Man kann die Gerichte darin schmoren, ohne daß man Fett oder Flüssigkeit hinzufügen muß. Aroma, Nährstoffe und Vitamine bleiben erhalten. Allerdings ist die Garzeit länger als beim herkömmlichen Kochen. Doch der Aufwand lohnt sich.

Wem es zu mühsam ist, jeden Tag eine warme Diät-Mahlzeit zu kochen, sollte von seinem Lieblingsgericht gleich zwei oder drei Portionen zubereiten. Eine wird gleich verbraucht, die übrigen Portionen kann man in Aluminiumschalen füllen und in der Tiefkühltruhe oder im Tiefkühlfach des Eisschranks **einfrieren.** Wenn die Zeit einmal knapp ist, ist immer eine Diät-Mahlzeit im Kühlschrank aufzutreiben.

Um Ihnen die Arbeit zu erleichtern und Ihnen das Wiegen zu ersparen, haben wir – soweit es ging – alle Maße in **Löffeleinheiten** angegeben. Damit Sie wissen, welche

Gewichte sich dahinter verbergen, geben wir Ihnen hier
eine Übersicht:

1 gestrichener Teelöffel (Teel.) Butter	5 Gramm
1 gehäufter Teelöffel (Teel.) Butter	10 Gramm
1 Eierlöffel (Eierl.) Öl	2 Gramm
1 Teel. Zucker	5 Gramm
1 gehäufter Teel. Marmelade	20 Gramm
1 gestrichener Eßl. Mehl	10 Gramm
1 gestrichener Eßl. Stärkemehl	10 Gramm
1 Eßl. Reis (roh)	15 Gramm
1 Eßl. Cornflakes	2 Gramm

Was kommt nach der Kur?

Sie haben jetzt vielleicht viele Wochen oder Monate
nach der Brigitte-Diät gelebt und sich für Ihre Garde-
robe tapfer Ihre Traumgröße erkämpft. Der Weg war
mühsam und deshalb zunächst eine Warnung: Machen
Sie jetzt **keine Pause,** und futtern Sie nicht als »Beloh-
nung« all die leckeren Sachen, auf die Sie bislang verzichten mußten. Dann sind nämlich die ersten fünf Pfund
gleich wieder drauf! Eine gewisse Disziplin beim Essen
müssen Sie beibehalten. Das dürfte Ihnen eigentlich
nicht schwerfallen, denn Sie haben ja nun gelernt, sich
vernünftig zu ernähren. Wenn Sie jetzt Ihren Kalorien-
verbrauch festlegen wollen, sollten Sie davon ausge-
hen, daß der Körper im Ruhezustand etwa 25 Kalorien
pro Kilogramm Körpergewicht braucht, um sämtliche
Organfunktionen in Gang zu halten. Sobald körperliche
Bewegung hinzukommt, verbraucht man mehr. Ange-
nommen Sie wiegen jetzt 60 Kilo, liegt Ihr Kalorienver-
brauch im Ruhezustand bei 1 500 Kalorien. Rechnen Sie
für Bewegung etwa 300 bis 600 Kalorien je nach Tätigkeit dazu, so wären es dann insgesamt 1 800 bis 2 100
Kalorien pro Tag. Diese Rechnung gilt übrigens für
Männer sowie für Frauen. Als Grundlage für Ihren zu-
künftigen Speiseplan kann Ihnen weiter die 1 000-Kalo-
rien-Brigitte-Diät dienen, die Sie mit eiweißhaltigen und
vitaminreichen Nahrungsmitteln, wie zum Beispiel

Fleisch, Fisch, Obst und frische Gemüse, bis zum errechneten Kalorienbedarf aufstocken können. Wenn Sie dabei aber noch zunehmen, müssen Sie selbst ausprobieren, wieviel Kalorien Sie brauchen, um Ihr Gewicht zu halten. Das machen Sie am besten so: Nehmen Sie in den ersten zwei Wochen nach der Kur 1 500 Kalorien pro Tag zu sich. Dann zwei Wochen lang 1 600 Kalorien und so weiter. Sobald Sie anfangen zuzunehmen, haben Sie Ihre Kaloriengrenze erreicht. Bleiben Sie in Zukunft immer 100 bis 200 Kalorien unter dieser Grenze. Damit Sie eine genaue Übersicht haben, legen Sie sich **ein kleines Buch** an, in das Sie alles eintragen, was Sie am Tag gegessen haben. Abends werden die Kalorien zusammengezählt. Bleiben Sie weiterhin wachsam, steigen Sie einmal in der Woche auf die Waage. Sahnetorten und Süßigkeiten sind auch in Zukunft Ihre ärgsten Feinde. Hüten Sie sich vor ihnen, sonst sitzen sie bald als Fettpölsterchen auf Ihren Hüften. Ein Tip: Kaufen Sie sich jetzt ein schickes Kleid (oder einen gutsitzenden Anzug). Das nehmen Sie als Idealmaß: Da müssen Sie immer hineinpassen, ohne daß es irgendwo kneift.

Frühstück mit  400 Kalorien

Ihre gute Laune am Morgen war uns wichtig. Deshalb dürfen Sie den Tag auch mit einem Riesenfrühstück beginnen. Es ist so umfangreich, daß Sie es ruhig in zwei Etappen essen können: Einen Teil frühmorgens, bevor Sie das Haus verlassen, und einen Teil in der Frühstückspause am Arbeitsplatz. Wer morgens überhaupt nicht gern ißt, kann die Frühstücksration über den ganzen Vormittag verteilen. Gefrühstückt wird auf jeden Fall, denn es ist wichtig, daß Sie möglichst viel Kraftstoff am Tagesanfang bekommen – im Laufe des Tages brauchen Sie die Energie. Zur Erinnerung noch einmal: Bitte, halten Sie sich an die Mengenangaben, und tauschen Sie auf keinen Fall die angegebenen Lebensmittel gegen andere aus!

Quarkbrot

1 Scheibe Vollkornbrot ·
1 Teel. Margarine · 3 Eßl.
Magerquark · 2 kleine
Tomaten · Salz · Pfeffer ·
1 Becher Vollmilch

Das Brot mit Margarine und Quark bestreichen. Mit Tomatenscheiben belegen und mit Salz und Pfeffer würzen. Dazu einen Becher Milch.

Cornedbeefbrot

2 Scheiben Mischbrot ·
1 Teel. Butter · 2 dünne
Scheiben Corned beef
(50 g) · 1 Tomate · 1 Ei ·
Kaffee oder Tee

Eine Scheibe Brot mit Butter bestreichen und mit Corned beef und Tomatenscheiben belegen. Das Ei weich kochen, dazu das zweite Butterbrot. Als Getränk Kaffee oder Tee ohne Milch und Zucker.

Belegte Brote

2 Scheiben Vollkornbrot ·
1 Teel. Butter · ¹/₂ Ecke
Schmelzkäse (30 g,
20 %) · 1 Scheibe Corned
beef (30 g) · Kaffee oder
Tee

Die Brote mit Butter bestreichen. Eins mit Schmelzkäse, das zweite mit Corned beef belegen. Dazu Kaffee oder Tee ohne Milch und Zucker.

Camembert-Knäckebrot

3 Scheiben Knäckebrot ·
¹/₂ Ecke Camembert
(30 g, 30 %) · 1 Scheibe
Vollkornbrot · 1 Teel.
Butter · 2 Scheiben
Lachsschinken (25 g) ·
Kaffee oder Tee

Das Knäckebrot mit Camembert belegen. Das Vollkornbrot mit Butter bestreichen und mit Lachsschinken belegen. Dazu Kaffee oder Tee ohne Milch und Zucker.

Schinken, Schichtkäse und Radieschen

Eine Scheibe Brot mit Butter bestreichen und mit Lachsschinken belegen. Die zweite Scheibe mit Schichtkäse
bestreichen, salzen und mit Radieschenscheiben verzieren. Dazu Kaffee oder Tee ohne Milch und Zucker.

**2 Scheiben Vollkornbrot ·
1 Teel. Butter · 2 Scheiben
Lachsschinken (25 g) ·
1¹/₂ Eßl. Schichtkäse
(50 g, 10 %) · Salz ·
1 Bund Radieschen ·
Kaffee oder Tee**

Käsebrötchen und Tomate

Das Brötchen aufschneiden, mit Butter bestreichen und
mit Käse belegen. Das Vollkornbrot dünn mit Butter
bestreichen, mit Tomatenscheiben belegen, salzen und
pfeffern. Dazu Kaffee oder Tee ohne Milch und Zucker.

**1 Brötchen · 1 Teel.
Butter · 1 Scheibe Hart-
käse (30 g, 30 %) ·
1 Scheibe Vollkornbrot ·
1 mittelgroße Tomate ·
Salz · Pfeffer · Kaffee
oder Tee**

Tomatensaft, belegte Brote

Den Tomatensaft mit feingehackter Petersilie verrühren. Salzen und pfeffern. Eine Scheibe Brot mit Butter
bestreichen und mit Zunge belegen. Die restliche halbe
Scheibe Brot mit Käse bestreichen, mit Petersilie bestreuen und salzen. Dazu Kaffee oder Tee ohne Milch
und Zucker.

**1 Becher Tomatensaft ·
Petersilie · Salz · Pfeffer ·
1¹/₂ Scheiben Graham-
brot · 1 Teel. Butter ·
2 Scheiben Rinderzunge
(50 g) · 1¹/₂ Eßl. Schichtkäse (50 g, 10 %) · Kaffee
oder Tee**

Eier im Glas

2 Eier · Salz · Pfeffer ·
1 Scheibe Vollkornbrot ·
1 gestr. Teel. Butter ·
1 mittelgroße Apfelsine ·
Kaffee oder Tee

Die Eier vier Minuten kochen, schälen und in ein Glas füllen. Salz und Pfeffer darübergeben. Das Brot mit Butter bestreichen. Dazu eine Apfelsine und Kaffee oder Tee ohne Milch und Zucker.

Honigquarkbrot

1 Scheibe Vollkornbrot ·
2 Eßl. Schichtkäse (10 %) ·
1 gestr. Teel. Honig ·
Zimt · 1 mittelgroße
Mandarine · 1/4 l Vollmilch

Das Brot mit Schichtkäse bestreichen, Honig und Zimt darübergeben. Dazu eine Mandarine und als Getränk Milch.

Cornedbeef-Sandwich

2 Scheiben Mischbrot ·
2 gestr. Teel. Butter ·
2 dicke Scheiben Corned
beef (80 g) · 1 mittelgroße
Apfelsine · Kaffee oder
Tee

Das Brot mit Butter bestreichen und mit Corned beef belegen. Die beiden Scheiben zusammenklappen. Als Nachspeise eine Apfelsine. Getränk: Kaffee oder Tee ohne Milch und Zucker.

Honigzwieback und Käsebrötchen

2 große Apfelsinen ·
1 Zwieback · 1 Teel.
Honig · 1 Brötchen · 30 g
Frischkäse (60 % Fett) ·
1 Ei · Kaffee oder Tee

Die beiden Apfelsinen auspressen und den Saft in ein Glas füllen. Bitte nicht mit Zucker, bestenfalls mit Süßstoff nachsüßen! Den Zwieback mit Honig bestreichen. Das Brötchen aufschneiden und mit Frischkäse bestreichen. Das Ei weich kochen (etwa fünf Minuten). Dazu Kaffee oder Tee ohne Milch und Zucker.

Marmeladenzwieback und Käsebrot

Den Zwieback mit Butter und Marmelade bestreichen.
Die Scheibe Brot mit Schichtkäse bestreichen, mit
Schnittlauch und etwas Salz bestreuen. Dazu eine Ba-
nane und Kaffee oder Tee ohne Milch und Zucker.

1 Zwieback · 1 Teel.
Butter · ½ Teel.
Marmelade · 1 Scheibe
Vollkornbrot · 1½ Eßl.
Schichtkäse (50 g, 10 %) ·
Schnittlauch · Salz ·
1 kleine Banane (100 g) ·
Kaffee oder Tee

Saft, Ei und Butterbrötchen

Die Apfelsinen auspressen, den Saft in ein Glas füllen
und nicht nachsüßen. Das Brötchen und die Scheibe
Brot mit Butter bestreichen. Das Ei etwa fünf Minuten
lang kochen. Dazu Kaffee oder Tee ohne Milch und
Zucker.

4 große Apfelsinen ·
1 Brötchen · ½ Scheibe
Vollkornbrot · 1 Teel.
Butter · 1 Ei · Kaffee oder
Tee

Rosinenbrot mit süßem Quark

Das Rosinenbrot mit Butter und Quark bestreichen und
die Marmelade darübergeben. Das Ei weich kochen.
Dazu Kaffee oder Tee ohne Milch und Zucker.

1 Scheibe Rosinenbrot
(50 g) · ½ Teel. Butter ·
1 Eßl. Magerquark (30 g) ·
1 Teel. Marmelade ·
1 Ei · Kaffee oder Tee

Kakao und Butterbrötchen

Das Brötchen aufschneiden und mit Butter bestreichen.
Dazu eine Mandarine. Als Getränk: zwei Becher Wasser mit Magermilchpulver und Schokopulver (Fertigprodukt) verrühren.

1 Brötchen · 2 gestr. Teel.
Butter · 1 mittelgroße
Mandarine · Magermilch-
pulver · 2 gehäufte Teel.
Schokopulver

Quarkbrot mit Marmelade

1 Scheibe Vollkornbrot ·
1 Teel. Margarine · 3 Eßl.
Magerquark · 1 Teel.
Marmelade · 1 Becher
Vollmilch

Das Brot mit Margarine und Quark bestreichen. Die Marmelade darübergeben. Dazu Milch, die warm oder kalt sein kann.

Knäckebrot und Kakao

3 Scheiben Knäckebrot ·
1/2 Teel. Butter · 2 Teel.
Marmelade · 1 Eßl.
Magerquark · Salz ·
Pfeffer · 1/4 l Vollmilch ·
1 Teel. Kakaopulver ·
Süßstoff

Zwei Scheiben Knäckebrot mit Butter und Marmelade bestreichen. Eine Scheibe Knäckebrot mit Magerquark bestreichen, mit Salz und Pfeffer würzen. Dazu Kakao aus Milch, die man mit Kakaopulver und etwas Süßstoff verquirlt.

Saft und süßer Quark

1 Becher Tomatensaft
(Dose) · 1 Scheibe
Vollkornbrot · 1 Scheibe
Knäckebrot · 1 1/2 Teel.
Butter · 1 1/2 Eßl.
Magerquark (50 g) ·
1 Eßl. Kompott (50 g) ·
Kaffee oder Tee

Den Tomatensaft in ein Glas gießen. Das Vollkornbrot und das Knäckebrot mit Butter bestreichen. Quark und Kompott miteinander gut verrühren und auf das Brot streichen. Dazu Kaffee oder Tee ohne Milch und Zukker.

Quarkbrote mit Radieschen

2 Scheiben Mischbrot ·
1 1/2 Teel. Margarine ·
3 Eßl. Magerquark ·
1 Bund Radieschen ·
Salz · Kaffee oder Tee

Die Brote mit Margarine und Magerquark bestreichen. Die in dünne Scheiben geschnittenen Radieschen darübergeben und salzen. Dazu Kaffee oder Tee ohne Milch und Zucker.

Kümmelquark und Leberwurst

Den Tomatensaft in ein Glas gießen. Das Vollkornbrot mit Leberwurst bestreichen. Den Quark mit Kümmel und Salz verrühren und auf das Knäckebrot geben. Dazu Kaffee oder Tee ohne Milch und Zucker.

1 Becher Tomatensaft (Dose) · 1 Scheibe Vollkornbrot · 25 g Kalbsleberwurst · 1½ Eßl. Magerquark · Kümmel · Salz · 2 Scheiben Knäckebrot · Kaffee oder Tee

Roastbeefbrot und Radieschen

Das Vollkornbrot mit Butter bestreichen und mit Roastbeef belegen. Radieschenscheiben auf dem Knäckebrot verteilen. Das Ei weich kochen. Dazu Kaffee oder Tee ohne Milch und Zucker.

1 Scheibe Vollkornbrot · ½ Teel. Butter · 1 dünne Scheibe Roastbeef (25 g) · 1 Bund Radieschen · 2 Scheiben Knäckebrot · 1 Ei · Kaffee oder Tee

Pampelmuse und belegte Brote

Das Pampelmusenfleisch rundherum mit einem Messer lösen. Etwas aufgelösten Süßstoff darüberträufeln. Das Vollkornbrot mit Butter bestreichen und mit Schinken belegen. Das Knäckebrot mit Marmelade bestreichen. Dazu Kaffee oder Tee ohne Milch und Zucker.

½ mittelgr. Pampelmuse (125 g) · Süßstoff · 1 Scheibe Vollkornbrot · ½ Teel. Butter · 1 Scheibe gek. Schinken (60 g) · 1 Scheibe Knäckebrot · 1 Teel. Marmelade · Kaffee oder Tee

Joghurt und Schinkenbrote

2 Scheiben Knäckebrot ·
4 Scheiben Lachsschinken
(50 g) · 1 Becher Joghurt-
Mix (Trinkmilch-Joghurt,
Fertigprodukt) 1 mittelgr.
Apfel · Kaffee oder Tee

Das Knäckebrot mit dem Lachsschinken belegen, von dem man den Fettrand entfernt hat. Dazu einen Becher fertig gekaufte Joghurt-Mix, einen Apfel und Kaffee oder Tee ohne Milch und Zucker.

Quarkspeise und Butterbrötchen

1 Brötchen · 1 gestr. Teel.
Butter · 200 g Quark-
speise mit Früchten
(Magerquark, Fertig-
produkt) · 1 kleiner
Apfel · Kaffee oder Tee

Das Brötchen aufschneiden und mit Butter bestreichen. Dazu fertig gekaufte Quarkspeise, die es wahlweise mit Ananas, Mandarinen, Erdbeeren, Heidelbeeren, Kirschen oder Bananen gibt. Als Nachspeise einen Apfel. Dazu Kaffee oder Tee ohne Milch und Zucker.

Joghurt und Käsebrot

1 Scheibe Vollkornbrot ·
1 gestr. Teel. Butter ·
2 Scheiben Käse (40 g,
30 %) · 1 Becher Mager-
milch-Joghurt-Dessert
(Fertigprodukt, 180 g) ·
Kaffee oder Tee

Das Brot mit Butter bestreichen und mit Käse belegen. Dazu einen Becher Joghurt-Dessert und Kaffee oder Tee ohne Zucker und Milch.

Quarkbrötchen mit Marmelade

1 Brötchen · 1 1/2 Teel.
Margarine · 4 Eßl.
Magerquark · 2 Teel.
Marmelade · Kaffee oder
Tee

Das Brötchen aufschneiden und mit Margarine, Magerquark und Marmelade bestreichen. Dazu Kaffee oder Tee ohne Milch und Zucker.

Quarkspeise mit Knäckebrot

Die fertig gekaufte Quarkspeise auf das Knäckebrot streichen. Als Nachspeise eine Birne und als Getränk Kaffee oder Tee ohne Milch und Zucker.

150 g Quarkspeise mit Kräutern (40 % Fett, Fertigprodukt) · 2 Scheiben Knäckebrot · 1 mittelgroße Birne · Kaffee oder Tee

Knäckebrot mit Marmelade

Das Knäckebrot mit Margarine und Marmelade bestreichen. Das Ei fünf Minuten kochen. Dazu gibt es eine Scheibe Brot. Als Getränk: Kaffee oder Tee ohne Milch und Zucker.

2 Scheiben Knäckebrot · 1¹/₂ Teel. Margarine · 1¹/₂ Teel. Marmelade · 1 Ei · 1 Scheibe Mischbrot · Kaffee oder Tee

Kalbsbratenbrot mit grüner Gurke

Das Brot mit Butter bestreichen und mit Kalbsbraten belegen. Die Gurke in Scheiben schneiden und leicht salzen. Dazu Kaffee oder Tee ohne Milch und Zucker.

1¹/₂ Scheiben Vollkornbrot · 1¹/₂ Teel. Butter · 100 g Kalbsbraten · 100 g grüne Gurke · Salz · Kaffee oder Tee

Cornflakes und Käsebrot

2 Scheiben Knäckebrot ·
1 gestr. Teel. Butter ·
1 Scheibe Schnittkäse
(20 g, 30 %) · 2 Becher
Magermilch · 10 Eßl.
Cornflakes · 2 Teel.
Zucker

Das Knäckebrot mit Butter bestreichen und mit Käse belegen. Die Magermilch in einen tiefen Teller gießen. Die Cornflakes dazugeben und mit Zucker bestreuen.

Kakaoflocken

2 Becher Magermilch ·
2 gehäufte Teel. Schoko-
pulver (Fertigprodukt) ·
4 knappe Eßl. kernige
Haferflocken · 1 kleine
Apfelsine

Die Milch in einen tiefen Teller gießen und mit dem Schokopulver verrühren. Die Haferflocken dazugeben. Als Nachspeise eine Apfelsine.

Grießbrei mit Apfelmus

¹/₄ l Vollmilch · 2 Eßl.
Grieß · Süßstoff ·
Zitronenschale · 1 Eigelb ·
2 Eßl. Apfelmus (100 g) ·
Kaffee oder Tee

Die Milch zum Kochen bringen und den Grieß, Süßstoff, die abgeriebene Zitronenschale und das Eigelb darunterrühren. Zum Schluß das Apfelmus unterziehen. Dazu Kaffee oder Tee ohne Milch und Zucker.

Haferflockengrütze

4 gehäufte Eßl.
Haferflocken · 1 Teel.
Margarine · 2 Teel.
Marmelade · 1 Prise Salz ·
Süßstoff · Zitronenschale ·
1 Becher Vollmilch

Die Haferflocken in zwei Tassen Wasser vorweichen und bei milder Hitze quellen lassen. Margarine und Marmelade zugeben und mit Salz, Süßstoff und abgeriebener Zitronenschale abschmecken. Als Getränk Milch.

Reisbrei

Die Milch zum Kochen bringen und die Reisflocken dazugeben und kurz quellen lassen. Mit Butter und Zimt
abschmecken. Die Marmelade zum Schluß darunterrühren. Dazu eine Birne und Kaffee oder Tee ohne
Milch und Zucker.

**2 Becher Magermilch ·
40 g Reisflocken · 1 Mes-
serspitze Butter · Zimt ·
1 Teel. Marmelade · 1 mittelgroße Birne · Kaffee
oder Tee**

Haferflockensuppe

Die Milch zum Kochen bringen, die Haferflocken dazuschütten und kurz quellen lassen. Mit Salz und Zucker
abschmecken. Dazu ein Butterbrot und ein weichge-
kochtes Ei.

**¹/₈ l Vollmilch · 1 Eßl.
Haferflocken (10 g) ·
1 Prise Salz · 1 Teel.
Zucker · 1 Scheibe Voll-
kornbrot · ¹/₂ Teel. Butter ·
1 Ei**

Müsli mit Aprikosen

5 Eßl. Weizenkeime · 1 Becher Trinkmilch-Joghurt · Zitronensaft · 1 knapper Teel. Zucker · Süßstoff · 50 g getrocknete Aprikosen · Kaffee oder Tee

Die Weizenkeime in zwei Eßl. Wasser einweichen. Den Joghurt, den Zitronensaft, Zucker und etwas Süßstoff darübergeben. Die vorgeweichten und kleingeschnittenen Aprikosen hinzufügen und alles gut mischen. Dazu Kaffee oder Tee ohne Milch und Zucker.

Müsli mit Himbeeren

125 g Himbeeren (frisch oder ungezuckert tiefgekühlt) · 2 Teel. Zucker · 1 Becher Sahne-Joghurt · 3 Eßl. Haferflocken · Süßstoff · Kaffee oder Tee

Die Himbeeren waschen oder auftauen lassen und mit Zucker bestreuen. Den Joghurt, die Haferflocken und etwas aufgelösten Süßstoff dazugeben und alles gut mischen. Dazu Kaffee oder Tee ohne Milch und Zucker.

Müsli mit Nüssen

3 gehäufte Eßl. Haferflocken · 1 Eßl. Zucker · 2 Eßl. Haselnüsse · 1 Becher Magermilch-Joghurt · Zitronensaft · Kaffee oder Tee

Die Haferflocken mit dem Zucker und den gehackten Haselnüssen bestreuen. Den Joghurt und den Zitronensaft dazugeben und alles gut mischen. Dazu Kaffee oder Tee ohne Milch und Zucker.

Haferflockenmüsli

1 Becher Vollmilch · 1½ Eßl. Magerquark · 3 gehäufte Eßl. kernige Haferflocken · 1 Eßl. Zucker · 1 gehäufter Eßl. Kakao · Süßstoff · Kaffee oder Tee

Die kalte Milch mit dem Quark verrühren. Die Haferflocken dazugeben, Zucker und Kakao darüberstreuen, mit Süßstoff nachsüßen und alles gut miteinander verrühren. Dazu Kaffee oder Tee ohne Milch und Zucker.

Müsli mit Quark und Nüssen

Den Quark mit der Milch verrühren und mit Süßstoff süßen. Etwas Zitronensaft darunterrühren. Die Haferflocken und die geriebenen Nüsse darübergeben. Dazu Kaffee oder Tee ohne Milch und Zucker.

1¹/₂ EBl. Magerquark · 1 Becher Vollmilch · Süßstoff · Zitronensaft · 2 EBl. Haferflocken · 2 EBl. Haselnüsse · Kaffee oder Tee

Müsli mit Heidelbeeren

Den Joghurt mit aufgelöstem Süßstoff verrühren und über die Haferflocken geben. Die gewaschenen und noch nicht ganz aufgetauten Früchte dazugeben. Alles gut miteinander mischen und mit Mandelstiften anrichten. Dazu Kaffee oder Tee ohne Milch und Zucker.

1 Becher Trinkmilch-Joghurt · Süßstoff · 3 gehäufte EBl. Haferflocken · 125 g Heidelbeeren (frisch oder ungezuckert tiefgekühlt) 1 EBl. Mandelstifte · Kaffee oder Tee

Müsli mit Pfirsichen

Den Quark mit der Milch verrühren und mit Süßstoff süßen. Die Haferflocken, die kleingeschnittenen Pfirsichhälften und die gehackten Haselnüsse dazugeben und alles gut mischen. Dazu Kaffee oder Tee ohne Milch und Zucker.

1¹/₂ EBl. Magerquark · 1 Becher Vollmilch · Süßstoff · 2 gehäufte EBl. kernige Haferflocken · 100 g Pfirsich (Dose) · 1 EBl. Haselnüsse · Kaffee oder Tee

Müsli mit Feigen

Die Haferflocken mit dem Joghurt verrühren, mit aufgelöstem Süßstoff süßen und mit Zitronensaft abschmecken. Die kleingeschnittenen Feigen dazugeben und alles gut mischen. Dazu Kaffee oder Tee ohne Milch und Zucker.

3 gehäufte EBl. Haferflocken · 1 Becher Trinkmilch-Joghurt · Süßstoff · Zitronensaft · 50 g getrocknete Feigen · Kaffee oder Tee

Müsli mit Quark und Rosinen

2 Eßl. Haferflocken ·
1½ Eßl. Magerquark ·
1 Apfel (100 g) · 1 Eßl.
Haselnüsse · 1 Eßl. Rosi-
nen · 1 Eßl. Honig · 1 Scheibe Knäckebrot · ½ Teel.
Butter · Kaffee oder Tee

Die Haferflocken und den Quark mit wenig Wasser zu einem Brei verrühren. Den ungeschälten Apfel reiben und zusammen mit den gehackten Nüssen und den Rosinen unter die Haferflocken ziehen. Mit Honig süßen. Dazu Knäckebrot mit Butter und Kaffee oder Tee ohne Milch und Zucker.

Müsli mit Banane

7 Eßl. Weizenkeime ·
1 Becher Magermilch-
Joghurt · 1 Banane · 1 Eßl.
Haselnüsse · 1 Teel. Rosinen · Süßstoff · Zitronensaft · Kaffee oder Tee

Die Weizenkeime in drei Eßl. Wasser einweichen. Den Joghurt, die zerdrückte Banane, die gehackten Nüsse und die Rosinen dazugeben. Mit Süßstoff und Zitronensaft abschmecken und gut mischen. Dazu Kaffee oder Tee ohne Milch und Zucker.

Müsli mit gemischtem Obst

1 Becher Trinkmilch-
Joghurt · Süßstoff ·
2 gehäufte Eßl. Hafer-
flocken · 1 mittelgroßer
Apfel · 2 Mandarinen ·
1 Eßl. Nüsse · 1 Zitrone ·
Kaffee oder Tee

Den Joghurt mit aufgelöstem Süßstoff süßen und mit den Haferflocken mischen. Den ungeschälten Apfel reiben und darunterziehen. Die kleingeschnittenen Mandarinen, gehackten Nüsse und den Zitronensaft dazugeben. Dazu Kaffee oder Tee ohne Milch und Zucker.

Müsli mit Sanddornsaft

3 Eßl. Haferflocken ·
1 Becher Trinkmilch-
Joghurt · 3 Eßl. Sanddornsaft · 1 Teel. Honig · Süßstoff · Kaffee oder Tee

Die Haferflocken mit dem Joghurt verrühren. Den Sanddornsaft und den Honig dazugeben und alles gut mischen. Mit etwas aufgelöstem Süßstoff nachsüßen. Dazu Kaffee oder Tee ohne Milch und Zucker.

Müsli mit Knusperflocken

Den Joghurt mit der Marmelade verrühren. Die unge-
zuckerten Knusperflocken darübergeben. Dazu einen
Toast, der mit Schmelzkäse bestrichen wird, und Kaffee
oder Tee ohne Milch und Zucker.

**1 Becher Trinkmilch-
Joghurt · 4 gestr. Teel.
Marmelade · 2 Eßl.
Knusperflocken ·
1 Scheibe Toastbrot ·
1 kleine Ecke Schmelz-
käse (47,5 g, halbfett) ·
Kaffee oder Tee**

Müsli mit Erdbeeren

Die Haferflocken werden einige Stunden in sechs Eßl.
Wasser eingeweicht. Dann die geriebenen Nüsse, den
Joghurt und die zerkleinerten Erdbeeren darunterziehen. Zum Schluß mit Honig süßen. Dazu einen Zwieback
und Milch.

**2 Eßl. Haferflocken ·
1 Eßl. Haselnüsse ·
1/2 Becher Trinkmilch-
Joghurt · 100 g Erd-
beeren · 1 Eßl. Honig ·
1 Zwieback · 1/8 l Voll-
milch**

Meerrettichquark

125 g Magerquark ·
Meerrettich ·
getr. Kräuter · Salz ·
3 Scheiben Knäckebrot ·
2 gestr. Teel. Butter ·
1 Teel. Marmelade ·
1 mittelgroße Apfelsine ·
Kaffee oder Tee

Den Quark mit wenig Wasser cremig rühren. Mit geriebenem Meerrettich, getrockneten Kräutern und Salz abschmecken. Dazu eine Scheibe Knäckebrot mit Butter und Marmelade bestreichen. Dazu eine Apfelsine und Kaffee oder Tee ohne Milch und Zucker.

Kümmelquark

125 g Magerquark ·
Kümmel · Salz · Zwiebel-
pulver · 1 Scheibe
Vollkornbrot · 2 gestr.
Teel. Butter · 1 Teel.
Marmelade · 1 mittel-
großer Apfel · Kaffee
oder Tee

Den Quark mit wenig Wasser cremig rühren, mit Kümmel, Salz und Zwiebelpulver abschmecken. Das Brot mit Butter und Marmelade bestreichen. Dazu einen Apfel und Kaffee oder Tee ohne Milch und Zucker.

Dillquark

125 g Magerquark ·
Dillspitzen · Salz ·
Paprikapuder ·
1 Brötchen · 2 gestr. Teel.
Butter · 1 knapper Teel.
Honig · 1 mittelgroße
Apfelsine · Kaffee oder
Tee

Den Quark mit wenig Wasser cremig rühren und mit getrockneten Dillspitzen, Salz und Paprikapuder abschmecken. Das Brötchen aufschneiden und mit Butter und Honig bestreichen. Dazu eine Apfelsine und Kaffee oder Tee ohne Milch und Zucker.

Zwieback, Quark und Haselnüsse

Die Milch erwärmen und über den Zwieback gießen. Den Quark darunterrühren und mit Süßstoff süßen. Den Apfel mit der Schale reiben, die Banane mit einer Gabel zerdrücken und beides dazugeben. Mit Zitronensaft abschmecken und mit den gehackten Haselnüssen bestreuen.

1/2 Becher Vollmilch · 2 Zwiebäcke · 1 1/2 EßI. Magerquark · Süßstoff · 1 mittelgroßer Apfel · 1 mittelgroße Banane · Zitronensaft · 1 EßI. Haselnüsse

Sahnequark mit Apfelsinensaft

Die Milch, die Sahne und den Quark gut miteinander verrühren. Den Apfel mit Schale reiben und dazugeben. Den Apfelsinensaft dazugießen. Alles gut miteinander verquirlen, mit Süßstoff abschmecken. Zum Schluß die Cornflakes darüberstreuen. Dazu Kaffee oder Tee ohne Milch und Zucker.

1 Becher Vollmilch · 2 EßI. süße Sahne · 1 1/2 EßI. Magerquark · 1 mittelgroßer Apfel · 3 EßI. frisch gepreßten Apfelsinensaft · Süßstoff · 10 EßI. Cornflakes · Kaffee oder Tee

Honigquark

Den Quark mit wenig Wasser cremig rühren und den Honig darunterziehen. Dazu ein Butterbrot, eine Birne und Kaffee oder Tee ohne Milch und Zucker.

125 g Magerquark · 1 gehäufter Teel. Honig · 1 Scheibe Vollkornbrot · 1 gestr. Teel. Butter · 1 mittelgroße Birne · Kaffee oder Tee

Cornflakes, Quark und Erdbeeren

Den Quark mit der Milch verrühren, mit Süßstoff süßen. Die Erdbeeren mit einer Gabel zerdrücken und dazugeben. Die Cornflakes darüberstreuen.

1 1/2 EßI. Magerquark · 1 1/2 Becher Vollmilch · Süßstoff · 250 g Erdbeeren · 10 EßI. Cornflakes

Rosinenquark

125 g Magerquark ·
Zitronensaft · 2 gestr. EßI.
Rosinen · 1 Brötchen ·
2 gestr. Teel. Butter ·
1 kleiner Apfel · Kaffee
oder Tee

Den Quark mit wenig Wasser cremig rühren, mit etwas Zitronensaft abschmecken und die Rosinen darunterziehen. Dazu ein Butterbrötchen, einen Apfel und Kaffee oder Tee ohne Milch und Zucker.

Quark mit Himbeeren

1¹/₂ EßI. Magerquark ·
1¹/₂ Becher Vollmilch ·
Süßstoff · 125 g Himbeeren
(frisch oder ungezuckert,
tiefgekühlt) · 15 EßI. Cornflakes · Kaffee oder Tee

Den Quark mit der Milch verrühren und mit Süßstoff süßen. Die frischen oder noch nicht ganz aufgetauten Früchte unterziehen. Zum Schluß die Cornflakes darüberstreuen. Dazu Kaffee oder Tee ohne Milch und Zucker.

Früchtequark

3 EßI. Magerquark · 1 Teel.
Zucker · ¹/₂ kleine Banane ·
¹/₂ kleine Apfelsine ·
¹/₂ kleiner Apfel · Zitronensaft · Zitronenschale ·
1 Scheibe Vollkornbrot ·
1 Teel. Butter · Kaffee
oder Tee

Den Quark mit wenig Wasser cremig rühren und mit Zucker bestreuen. Die Banane, die Apfelsine und den Apfel in kleine Scheiben schneiden und unter den Quark ziehen. Zum Schluß mit Zitronensaft und abgeriebener Zitronenschale abschmecken. Dazu ein Butterbrot und Kaffee oder Tee ohne Milch und Zucker.

Rühreier

Die Eier salzen, gut verquirlen und in eine heiße, beschichtete Pfanne geben. Unter ständigem Rühren stocken lassen. Dazu ein Butterbrötchen, eine Pampelmuse und Kaffee oder Tee ohne Milch und Zucker.

2 Eier · Salz · 1 Brötchen · 2 gestr. Teel. Butter · 1 Pampelmuse · Kaffee oder Tee

Spiegeleier

Die Eier am Pfannenrand aufschlagen und in eine heiße, beschichtete Pfanne geben und salzen. Das Knäckebrot mit Butter und Honig bestreichen. Dazu eine Apfelsine und Kaffee oder Tee ohne Milch und Zucker.

2 Eier · Salz · 2 Scheiben Knäckebrot · 2 gestr. Teel. Butter · 1 Teel. Honig · 1 mittelgroße Apfelsine · Kaffee oder Tee

Rühreier und Honigbrötchen

Die Eier salzen, gut verquirlen und in eine heiße, beschichtete Pfanne geben. Unter ständigem Rühren stocken lassen. Dazu gibt es eine Scheibe Knäckebrot. Das Brötchen aufschneiden und mit Butter und Honig bestreichen. Dazu Kaffee oder Tee ohne Milch und Zucker.

2 Eier · Salz · 1 Scheibe Knäckebrot · 1 Brötchen · 1/2 Teel. Butter · 2 Teel. Honig · Kaffee oder Tee

Spiegelei mit gekochtem Schinken

Den Schinken in eine heiße, beschichtete Pfanne legen, das Ei darübergeben. Leicht nachsalzen. Das Spiegelei auf dem Brot anrichten. Dazu gibt es ein Glas Saft und Kaffee oder Tee ohne Milch und Zucker.

1 Scheibe gekochten Schinken (50 g) · 1 Ei · Salz · 1 1/2 Scheiben Vollkornbrot · 1/2 Becher ungesüßten Pampelmusensaft (Dose) · Kaffee oder Tee

Spiegeleier mit Lachsschinken

2 Scheiben
Lachsschinken · 2 Eier ·
Salz · 2 Scheiben Toast ·
¹/₂ Teel. Butter · Kaffee
oder Tee

Den Lachsschinken in eine heiße, beschichtete Pfanne legen. Die Eier darübergeben und leicht nachsalzen. Dazu gibt es gebutterten Toast und Kaffee oder Tee ohne Milch und Zucker.

Omelett soufflé

2 Eier · 1 gestr. Eßl.
Kartoffelmehl · 3 gestr.
Teel. Zucker · Zimt ·
1 gestr. Teel. Butter ·
4 gestr. Teel. Marmelade ·
1 kleiner Apfel · Kaffee
oder Tee

Die Eier, das Kartoffelmehl, Zucker und Zimt gut miteinander verquirlen. Die Butter in einer beschichteten Pfanne zergehen lassen. Die Eimasse in die heiße Pfanne geben und drei bis vier Minuten stocken lassen. Zum Schluß das Omelett mit Marmelade bestreichen. Dazu gibt es einen Apfel und Kaffee oder Tee ohne Milch und Zucker.

Warme Mahlzeiten mit  300 Kalorien

Hier finden Sie ein großes Angebot an Gerichten. Welches von den vielen Rezepten Sie sich heraussuchen, hängt nur von Ihrem Appetit und Ihren Vorräten ab. Die Rezepte gleichen auf den ersten Blick ganz normalen Kochrezepten. Sie werden aber bald beim Kochen feststellen, daß die Portionen kleiner ausfallen und daß Sie nicht sehr häufig ins Fettnäpfchen langen dürfen. Mit Fett wird überhaupt bei dieser Diät sehr sparsam umgegangen. Sie werden aber nach einiger Zeit die Fettaugen gar nicht mehr vermissen. Eine warme Mahlzeit sollten Sie auf jeden Fall am Tag einnehmen. Wann Sie sie essen – ob mittags oder abends –, bleibt Ihnen überlassen. Wenn es besser in Ihren Tagesablauf paßt, können Sie mittags kalt und abends warm essen. Diejenigen, die nur wenig Zeit zum Kochen haben, finden in dieser Rezeptsammlung eine Reihe von Schnell-gerichten, die wirklich innerhalb von 10 Minuten zuzubereiten sind. Nicht nur auf den chronischen Zeitmangel haben wir Rücksicht ge-nommen, sondern auch auf die Geldbörsen. Neben echten Schlem-merspeisen finden Sie auch Tellergerichte, die das Portemonnaie nicht übermäßig strapazieren.

Cordon-bleu

2 dünne Kalbsschnitzel (zusammen 100 g) · Salz · Pfeffer · ¹/₂ Scheibe gekochten, mageren Schinken, 1 dünne Scheibe Emmentaler Käse (45 % Fett) · ¹/₂ Teel. Mehl · 1 Eßl. Milch · ¹/₂ geriebenes Brötchen · 1 Teel. Öl · 1 Teller Kopfsalat · Zitronensaft · evtl. 1 Tabl. Süßstoff

Die sehr dünnen Kalbsschnitzel salzen, pfeffern, den Schinken und Käse dazwischenlegen, in Mehl, danach in Milch und Semmelbröseln wenden und mit zwei Hölzchen an den Seiten zusammenstecken. In heißem Öl – möglichst in einer beschichteten Pfanne – von beiden Seiten goldbraun braten. Den Kopfsalat mit Zitrone, Salz und einer aufgelösten Süßstofftablette oder flüssigem Süßstoff anmachen.

Paprikaschnitzel, Chicoréesalat

150 g Kalbsschnitzel · Salz · Rosenpaprika · ¹/₂ kleine Zwiebel · 1 kleine Paprikaschote (100 g) · ¹/₂ Teel. Margarine · 2 Eßl. Buttermilch · 1 Stange Chicorée (100 g) · 2 Eßl. Buttermilch · Senf · Salz · 2 kleine Kartoffeln

Fleisch klopfen, salzen, in der Pfanne ohne Fett braten. Mit Rosenpaprika bestreuen. Zwiebelringe und die streifig geschnittene Paprikaschote in Margarine dünsten. Dazu etwas Wasser und 2 Eßl. Buttermilch. Mit Salz und Rosenpaprika würzen. Chicorée in feine Streifen schneiden – vorher den bitteren Keil herausschneiden – und mit Buttermilch als Salat anmachen. Nach Geschmack würzen. Dazu Salzkartoffeln.

Kalbshaxensteak und Brokkoli

250 g Kalbshaxe · Salz · weißer und schwarzer Pfeffer · Rosmarin · 1 Teel. Öl · 1 Tomate · Petersilie · 250 g Brokkoli · Fleischwürze · Muskat

Das Kalbshaxensteak gründlich waschen und das Knochenmark mit einem Löffel entfernen. Steak mit Salz, Pfeffer und wenig Rosmarin einreiben, mit Öl bestreichen und von beiden Seiten etwa 20 Minuten knusprig braun braten. Zum Schluß die Tomate mitdünsten und mit Petersilie bestreuen. Brokkoli in wenig Salzwasser kochen und mit Fleischwürze, Salz und etwas Muskat abschmecken.

Holsteiner Schnitzel mit Gemüse

Das Schnitzel mit Salz und Pfeffer einreiben und ohne Fett braten. Das Ei ohne Fett braten, mit Paprikapuder bestreuen. Das tiefgekühlte Gemüse auf kleiner Flamme auftauen und garen lassen. Mit Fleischwürze und Petersilie abschmecken.

150 g Kalbsschnitzel · Salz · Pfeffer · 1 Ei · Paprikapuder · 200 g tiefgekühltes Gartengemüse · Fleischwürze · Petersilie

Kalbsnüßchen mit Ananas

Das Kalbssteak salzen, pfeffern, in der heißen Pfanne ohne Fett braten. Mit Wein und Worcestersoße ablöschen. Ananas auf dem fertigen Fleisch anrichten. Reis in etwas Salzwasser körnig kochen, mit Fleischwürze und Butter abschmecken. Den gewaschenen Feldsalat mit Essig, Salz und Paprika würzen.

125 g mageres Kalbssteak · Salz · schwarzer und weißer Pfeffer · 1 Teel. Weißwein · 1 Teel. Worcestersoße · 1/2 Scheibe Ananas (Dose) · 2 gestr. Eßl. Reis · Fleischwürze · 1/2 Teel. Butter · 1 Teller Feldsalat · Essig · Paprika

Kalbssteak mit Sellerie

Das Kalbssteak mit Salz, Pfeffer, Schaschlik-Gewürz bestreuen, ohne Fett braten. Sellerie putzen, in dünne Scheiben schneiden und in sehr wenig Salzwasser dämpfen. Mit Fleischwürze und Butter abschmecken. Dazu eine Pellkartoffel.

150 g Kalbfleisch · Salz · Pfeffer · Schaschlik-Gewürz · 200 g Knollensellerie · Fleischwürze · 1/2 Teel. Butter · 1 mittelgroße Kartoffel

Kalbsmedaillon mit Erbsen

150 g Kalbssteak · 1 Eierl.
Öl · Salz · Pfeffer · 150 g
Erbsen (frische oder
tiefgekühlte) · ¹/₂ Teel.
Butter · Fleischwürze ·
Petersilie

Etwa drei Zentimeter dicke Filetstücke mit Öl bestreichen und in der vorgeheizten Pfanne oder im Grill von beiden Seiten bräunen. Salzen und pfeffern. Erbsen in Butter schwenken und mit Fleischwürze und gehackter Petersilie abschmecken.

Kalbssteak, Kräuterbutter, Bohnensalat

150 g Kalbfleisch · Salz ·
Pfeffer · ¹/₂ Teel. Butter ·
Dill · Petersilie · 250 g
Bohnen (Dose) · 2 kleine
Kartoffeln

Das Fleisch salzen, pfeffern und von beiden Seiten ohne Fett braten. Butter mit den feingehackten Kräutern gut vermischen, auf das fertige Steak legen. Bohnensalat nach Geschmack würzen (ohne Öl), Salzkartoffeln.

Spargel mit Kalbssteak

500 g Spargel (Dose) ·
etwas Süßstoff · 100 g
mageres Kalbssteak ·
Salz · Pfeffer · 1 Teel.
Butter · Petersilie · Dill ·
3 kleine Kartoffeln

Den Spargel mit etwas Süßstoff erwärmen. Steak von beiden Seiten ohne Fett knusprig braten, salzen und pfeffern. Die weiche Butter mit Salz, gehackter Petersilie und Dill vermischen und über den noch heißen Spargel geben. Dazu Pellkartoffeln.

Kalbsschnitzel und Auberginengemüse

150 g mageres Kalbs-
schnitzel · Salz · Pfeffer ·
250 g Auberginen ·
¹/₂ Teel. Butter · 2 Eßl.
Joghurt · Fleischwürze ·
Muskat · 3 kleine
Kartoffeln

Kalbsschnitzel ohne Fett braten. Salzen und pfeffern. Auberginen in dicke Scheiben schneiden und in sehr wenig Wasser weich dünsten. Butter und Joghurt zugeben und mit Fleischwürze und Muskat abschmecken. Dazu drei Pellkartoffeln.

Tomatenschnitzel, Blumenkohlröschen

Fleisch klopfen, salzen, pfeffern und von beiden Seiten ohne Fett braten. Tomatenmark mit heißem Wasser verrühren und über das fertige Schnitzel geben. Blumenkohl in Salzwasser weich kochen, mit gehackter Petersilie anrichten, die Butter darüber zerlaufen lassen. Dazu Salzkartoffeln.

150 g Kalbsschnitzel · Salz · Pfeffer · 1 Eßl. Tomatenmark · 1/2 kl. Blumenkohl ohne Strunk (250 g) · Petersilie · 1/2 Teel. Butter · 3 kleine Kartoffeln

Mixed Grill

Filetstücke mit Öl bestreichen. Die Bratwurst etwa 5 Minuten in heißes Wasser legen. Zwiebel und Lachsschinken feinhacken, in der heißen Pfanne glasig werden lassen, das Fleisch und die Bratwürstchen bräunen. Mit Salz, Pfeffer und Rosenpaprika würzen. Die Bohnen weich dünsten, mit Bohnenkraut, Salz und Petersilie abschmecken. Dazu eine Salzkartoffel.

50 g Kalbsfilet · 50 g Schweinefilet · 1 Eierl. Öl · 50 g Kalbsbratwurst · 1 kleine Zwiebel · 1 Scheibe Lachsschinken · Salz · Pfeffer · Rosenpaprika · 200 g grüne Bohnen · Bohnenkraut · Petersilie · 1 mittelgroße Kartoffel

Fleischklößchen mit Steinpilzen

Aus dem Hackfleisch, dem eingeweichten, gut ausgedrückten Brötchen, der gehackten Zwiebel, Salz, Pfeffer, Muskat einen Fleischteig formen. Von beiden Seiten in dem heißen Öl knusprig braten. Die Pilze erwärmen und mit Petersilie bestreuen. Dazu eine Pellkartoffel und die in dünne Ringe geschnittene Paprikaschote.

125 g Kalbfleisch-Hack · 1/4 Brötchen · 1/2 kleine Zwiebel · Salz · Pfeffer · Muskat · 1 Teel. Öl · 100 g Steinpilze (Dose) · Petersilie · 1 kleine Kartoffel · 1/2 kleine Paprikaschote

Indisches Kalbfleisch mit Reis

150 g mageres
Kalbfleisch · 50 g
Sellerieknolle · 1 kleiner
Apfel · Salz · Pfeffer ·
Curry · Ingwer · 2 Eßl.
Buttermilch · 2 gestr. Eßl.
Reis

Das Fleisch in Würfel schneiden. In einer heißen Pfanne ohne Fett anbraten und mit etwas Wasser ablöschen. Sellerie und Apfel in feine Stückchen schneiden und zugeben. Mit Salz, Pfeffer, Curry und wenig Ingwer würzen. Bei milder Hitze garen. Die Soße mit Buttermilch abschmecken. Dazu in Salzwasser gekochter Reis.

Geschnetzeltes Kalbfleisch

150 g Kalbsfilet · ½ kleine
Zwiebel · 1 Teel. Öl ·
1 Teel. Mehl · Salz ·
Pfeffer · 1 Eßl. Weißwein ·
Majoran · 3 kleine
Kartoffeln · 1 Handvoll
Kresse · Salz · Zitronen-
saft

Das Kalbfleisch in feine Streifen schneiden. Die gehackte Zwiebel in Öl glasig werden lassen, das Fleisch zugeben und anrösten. Mit Mehl bestäuben und mit etwas Wasser ablöschen. Mit Salz, Pfeffer und Weißwein abschmecken. Dazu mit Majoran bestreute Pellkartoffeln. Die Kresse mit Salz und Zitronensaft abschmecken.

Kalbsrouladen mit Edelpilzen

100 g sehr mageres
Kalbfleisch · Salz · 50 g
Kalbsleber · ½ kleine
Zwiebel · Petersilie ·
½ Ei · 1 knapper Eßl.
Semmelbrösel · Ingwer ·
Pfeffer · 50 g Pfifferlinge ·
1 Tomate · 1 mittelgroße
Kartoffel

Kalbfleisch mit Salz einreiben. Leber, Zwiebel und Petersilie feinhacken. Mit Ei, Semmelbröseln, Ingwer, Salz und Pfeffer verkneten. Die Masse auf das Fleisch geben. Zusammenrollen, mit einem Faden umwickeln und in einer heißen Pfanne fettfrei anbraten. Mit etwas Wasser ablöschen und alles 20 Minuten garen. Die Pfifferlinge und die Tomate zugeben und weich dünsten. Dazu eine Salzkartoffel.

Kalbsvogel und Chicoréesalat

Fleisch salzen, pfeffern, mit Senf bestreichen. Den Speck würfeln und zusammen mit der gehackten Petersilie auf das Kalbfleisch geben. Aufrollen und mit einem Bindfaden zusammenhalten. In einer heißen Pfanne fettfrei anbraten, mit etwas Wasser auffüllen und garen. Die Tomate zugeben. Die Chicoréestange in Streifen schneiden. Mit einer Marinade aus Joghurt, Essig, Salz, Pfeffer, Senf und Süßstoff anmachen. Die Kartoffeln schälen und in Salzwasser kochen.

150 g sehr mageres Kalbfleisch · Salz · Pfeffer · Senf · 10 g durchwachsener Speck · Petersilie · 1 Tomate · 1 mittelgroße Stange Chicorée · 2 Eßl. Joghurt · Essig · 1 Tabl. Süßstoff · 3 kleine Kartoffeln

---

Châteaubriand und Blumenkohlröschen

Das Rinderfilet von beiden Seiten ohne Fett bräunen, salzen, pfeffern und mit Paprikapuder bestreuen. Die Butter mit etwas Cayennepfeffer und viel Paprikapuder vermischen und zusammen mit einem Petersiliensträußchen auf das Fleisch geben. Die Blumenkohlröschen in Salzwasser fast weich kochen und mit Muskat würzen. Dazu Salzkartoffeln.

150 g Rinderfilet · Salz · Pfeffer · Paprikapuder · 1/2 Teel. Butter · Cayennepfeffer · Petersilie · 250 g Blumenkohl (ohne Strunk) · Muskat · 2 kleine Kartoffeln

---

Zigeunersteak und Kartoffelpüree

Das Rinderfilet mit Öl einreiben und in einer heißen Pfanne zusammen mit der in Streifen geschnittenen Paprikaschote, der Tomate und dem Stückchen Pfefferschote schmoren. Mit den Gewürzen abschmecken. Dazu Kartoffelpüree aus der Tüte: Milch und Wasser zusammen mit der Butter zum Kochen bringen, Kartoffelflocken einrühren und mit Salz und Muskat würzen.

125 g Rinderfilet · 1 Eierl. Öl · 1 kleine Paprikaschote · 1 Tomate · 1 kleines Stückchen Pfefferschote · Salz · Pfeffer · Cayennepfeffer · Thymian · Paprikapuder · 1 Eßl. Milch, 2 Eßl. Wasser · 1/2 Teel. Butter · 15 g Kartoffelflocken (Tüte) · Muskat

Rumpsteak

125 g Rumpsteak ohne
Fettrand · Salz · Pfeffer ·
1 Teel. Butter · 1 Teel.
geriebener Meerrettich ·
4 Eßl. Erbsen und 3 Eßl.
Mohrrüben (tiefgekühlt) ·
Salz · Fleischwürze ·
Petersilie

Das Rumpsteak fettfrei braten, salzen und pfeffern. Die Butter mit dem Meerrettich verrühren, kühl stellen und vor dem Anrichten auf das Fleisch geben. Das Gemüse in wenig Wasser auftauen lassen und mit Salz, etwas Fleischwürze und viel gehackter Petersilie abschmekken.

Königsberger Klopse

¹/₈ Pfund Beefsteak-
Hack · ¹/₄ Brötchen ·
1 Eiweiß · ¹/₂ kleine
Zwiebel · Salz · Pfeffer ·
Wasser · Fleischwürze ·
1 bis 2 Tabl. Süßstoff ·
etwas Zitronensaft ·
1 Teel. Kapern · 1 Teel.
Mehl · 1 Eigelb · 100 g
Spargel (Dose) · ¹/₂ Teel.
Butter · Petersilie ·
1 kleine Kartoffel

Aus dem Beefsteak-Hack, dem eingeweichten, gut ausgedrückten Brötchen, Eiweiß, gehackter Zwiebel, Salz und Pfeffer einen Teig bereiten und kleine Klopse formen. In Wasser mit Fleischwürze etwa 5 Minuten ziehen lassen. Den Topf vom Feuer nehmen. Einen Teil der Brühe mit Süßstoff, Zitronensaft und Kapern würzen, mit Mehl andicken und mit Eigelb legieren. Den Spargel im Wasserbad erwärmen, Butter und Petersilie darübergeben. Dazu eine Salzkartoffel.

Hackfleischragout, Kartoffelschnee, Kopfsalat

¹/₂ kleine Zwiebel · 25 g
gekochter Schinken ·
100 g Beefsteak-
Hackfleisch · Salz ·
Pfeffer · Paprikapuder ·
2 Eßl. Buttermilch ·
3 kleine Kartoffeln ·
1 Teller Kopfsalat ·
2 Eßl. Buttermilch ·
Zitronensaft · Salz ·
Petersilie

Die gehackte Zwiebel mit den kleingeschnittenen Schinkenscheiben glasig werden lassen, das Fleisch dazugeben. Mit einer Gabel zerteilen, mit Salz, Pfeffer und Paprikapuder abschmecken und die Buttermilch und etwas Wasser darübergeben. Dazu Kartoffelschnee und einen Teller Kopfsalat mit einer Marinade aus Buttermilch, Zitronensaft, Salz und gehackter Petersilie.

Filetsteak und gebackene Kartoffeln

Das Rinderfilet mit Öl bestreichen und im heißen Grill oder in einer Pfanne bräunen, salzen und pfeffern. Mit Sardellenfilets, Oliven und der Zitronenscheibe garnieren. Dazu frische Kresse mit Zitronensaft, Salz und Pfeffer und in Alufolie mit Schale gebackene Kartoffeln.

150 g Rinderfilet · 1 Eierl. Öl · Salz · Pfeffer · 2 kleine Sardellenfilets · 8 Oliven · 1 Zitronenscheibe · 1 Handvoll Kresse · Zitronensaft · 3 kleine Kartoffeln

Tournedos mit Reis

Das Rinderfilet mit Paprikapuder einreiben und in Öl anbraten, salzen und pfeffern. Mit wenig Wasser ablöschen. In Scheiben geschnittene Champignons, gehackte Zwiebel, feingewiegte Petersilie, Kerbel, Estragon und Wein zugeben und garen lassen. Dazu in Salzwasser körnig gekochten Reis.

125 g Rinderfilet · Paprikapuder · 1 Eierl. Öl · Salz · Pfeffer · 100 g Champignons · 1/2 Zwiebel · Petersilie · Kerbel · Estragon · 1 EBl. Weißwein · 2 gestr. EBl. Reis

Kräutersteaks, Tomaten

Hackfleisch mit dem gehackten Schinken und dem eingeweichten Brötchen, Salz und reichlich feingewiegten Kräutern mischen. Kleine Steaks formen und ohne Fett goldbraun braten. Dazu Salzkartoffeln und geviertelte Tomaten.

125 g Beefsteak-Hackfleisch · 25 g gekochter Schinken · 1/2 Brötchen · Salz · Pfeffer · Petersilie · Dill · 1 kleine Kartoffel · 2 mittelgroße Tomaten

Beefsteak, Spinat

Das Steak auf beiden Seiten ohne Fett braten, salzen und pfeffern. Spinat in sehr wenig Wasser kurz dünsten (tiefgekühlten Spinat auftauen lassen) und mit Fleischwürze und Muskat abschmecken. Butter zugeben. Dazu Salzkartoffeln oder Kartoffelschnee.

125 g Beefsteak · Salz · Pfeffer · 250 g Spinat (frisch oder tiefgekühlt) · Fleischwürze · Muskat · 1/2 Teel. Butter · 3 kleine Kartoffeln

Hamburger Steak, Möhren

150 g Beefsteak-
Hackfleisch · Salz ·
Pfeffer · ¹/₂ kleine
Zwiebel · 200 g Möhren ·
Süßstoff · Petersilie ·
¹/₂ Teel. Butter · 2 kleine
Kartoffeln

Hack mit Salz, Pfeffer und der feingeschnittenen Zwiebel gut vermischen. Zwei bis drei flache Steaks formen und ohne Fett braten. Die vorbereiteten Möhren in wenig Wasser dünsten, mit Salz und etwas Süßstoff abschmecken. Feingehackte Petersilie und Butter darübergeben. Dazu Pellkartoffeln.

Paprikasteaks mit Kopfsalat

100 g Beefsteak-Hack ·
Salz · Pfeffer · Paprika-
puder · ¹/₂ kleine
Paprikaschote · 1¹/₂ Eßl.
Reis · 1 Teel. Margarine ·
1 kl. Kopfsalat · Zitrone ·
Süßstoff

Das Beefsteak-Hack mit Salz, Pfeffer, Paprikapuder und der sehr fein geschnittenen Paprikaschote vermischen. Reis in Salzwasser weich kochen, zu dem Gehackten geben und zwei Steaks formen. In der heißen Margarine knusprig braun braten. Kopfsalat mit Zitronensaft und Süßstoff anmachen.

Gefüllte Paprikaschoten

150 g Beefsteak-
Hackfleisch · 1 Eßl. Reis
(schwach gehäuft) ·
Pfeffer · ¹/₂ kleine
Zwiebel · 2 Paprika-
schoten (200 g) ·
¹/₂ Teel. Margarine
2 abgezogene Tomaten
(100 g)

Hackfleisch mit dem körnig gekochten Reis, Salz, Pfeffer und der gehackten Zwiebel mischen und in die gewaschenen, entkernten Paprikaschoten füllen. In der Margarine mit Tomatenscheiben dünsten. Wenig Wasser zugeben und abschmecken.

Bunter Spieß

Abwechselnd etwa ein Zentimeter dicke Tomatenscheiben, ungeschälte Gurkenscheiben, Maiskolben-, Lachsschinken- und Rinderfiletstücke auf einen Spieß pieken. Mit Öl bestreichen, grillen. Mit Salz und Pfeffer würzen. Dazu ein Brötchen.

1 mittelgroße Tomate · 1 Stückchen grüne Gurke · 1 Stück Maiskolben · 1 dicke Scheibe Lachsschinken ohne Fettrand · 100 g Rinderfilet · 1 Teel. Öl · Salz · Pfeffer · 1 Brötchen

Flambiertes Schweinefilet mit Banane

Das Schweinefilet mit Öl und Bier bestreichen, grillen, salzen und pfeffern. Während der Grillzeit öfter bestreichen. Banane, Tomate und die Kartoffeln mitdünsten. Das Fleisch mit Calvados übergießen, anzünden und sofort servieren.

125 g Schweinefilet · 1 Eierl. Öl · 1 Eßl. Bier · Salz · Pfeffer · ½ kleine Banane · 1 Tomate · 2 kleine Kartoffeln · 1 Eßl. Calvados

Jägerschnitzel, Rotkohl

Champignons mit der feingeschnittenen Zwiebel in wenig Wasser dünsten, das Schnitzel zugeben und garen (ohne Fett). Mit Salz, Pfeffer, Fleischwürze abschmecken. Rotkohl raffeln, dünsten und nach Geschmack würzen (z. B. mit Rotwein und Süßstoff). Salzkartoffeln.

100 g Champignons · ½ kleine Zwiebel · 150 g Schweineschnitzel · Salz · Pfeffer · Fleischwürze · 200 g Rotkohl · 2 kleine Kartoffeln

Kasseler Rippe, Sauerkraut

Kasseler etwa 10 bis 15 Minuten im Kraut ziehen lassen. Salzkartoffeln.

125 g Kasseler Rippe (sehr mager, Gewicht ohne Knochen) · 200 g Sauerkraut · 3 kleine Kartoffeln

Schweinesteak mit Bohnen

100 g mageres
Schweinesteak · Salz ·
Pfeffer · Paprikapuder ·
1/2 mittelgroße Zwiebel ·
1/2 Teel. Margarine ·
100 g grüne Bohnen ·
2 mittelgroße Tomaten ·
Salz · Pfeffer · Streu-
würze · Bohnenkraut ·
1 Eßl. Parmesankäse
(30 % Fett) · 3 kleine
Kartoffeln

Das Steak ohne Fett braten. Mit Salz, Pfeffer und Paprikapuder bestreuen. Die gehackte Zwiebel in der Margarine andünsten. Die geputzten Bohnen und die hal-
bierten Tomaten zugeben, mit einer Tasse Wasser auffüllen und weich dünsten. Das Gemüse mit Gewürzen
und Bohnenkraut abschmecken und mit Parmesankäse
bestreuen. Pellkartoffeln.

Ungarisches Schaschlik

1/8 Pfund Schweinefilet ·
1/8 Pfund Kalbsfilet ·
1 Teel. Öl · Zitronensaft ·
Currypulver · Paprika-
puder · Salz · Pfeffer ·
Cayennepfeffer ·
1 mittelgroße Tomate ·
1/2 kleine Paprikaschote ·
1 mittelgroße Zwiebel ·
1 Eßl. Tomatenketchup ·
1/2 Brötchen

Das Fleisch in Stücke schneiden und in einer Marinade
aus Öl, Zitronensaft, Currypulver, Paprikapuder, Salz,
Pfeffer und Cayennepfeffer ein bis zwei Stunden ziehen lassen. Dann die Fleischstücke abwechselnd mit
Tomaten-, Paprika- und Zwiebelringen auf den Spieß
stecken, mit der Soße bestreichen und grillen. Danach
mit Paprikapuder und etwas Cayennepfeffer bestreuen
und mit Tomatenketchup anrichten. Mit einem halben
Brötchen servieren.

Schinkensteak mit Sellerie

200 g Sellerieknolle ·
2 kleine Kartoffeln · Salz ·
1 dickes Stück gekochter
magerer Schinken (100 g) ·
1 Eierl. Öl · Paprikapuder ·
1 Holzstäbchen

Die Sellerieknolle gründlich waschen und zusammen
mit den Kartoffeln in Salzwasser weich kochen. Die
Sellerieknolle mit kaltem Wasser abschrecken und
schälen. In zwei dicke Scheiben schneiden und mit dem
Schinken in dem heißen Öl von beiden Seiten braten.
Zwischen den Sellerie den Schinken legen und mit
Holzstäbchen zusammenstecken. Mit Paprikapuder be-
streuen. Dazu Pellkartoffeln.

Schweinefilet mit Senfbutter

Das Schweinefilet mit Bier bestreichen und im heißen Grill bräunen, salzen und pfeffern. Während der Grillzeit noch einmal bestreichen. Die Butter mit Senf verrühren und auf das fertige Filet geben. Die Tomatenscheiben mit Salz, Pfeffer, Essig und Schnittlauchröllchen abschmecken. Dazu Salzkartoffeln.

125 g Schweinefilet · 1 Eßl. Bier · Salz · Pfeffer · 1 Teel. Butter · Senf · 3 Tomaten · Essig · Schnittlauch · 2 kleine Kartoffeln

Filet mit Maiskolben

Das Schweinefilet in Scheiben schneiden, pfeffern, mit Paprikapuder und Cayennepfeffer bestreuen. Maiskolben mit Hölzchen daraufstecken. Mit Öl bestreichen, grillen und salzen. Mit Tomaten-Paprika garnieren.

150 g Schweinefilet · weißer und schwarzer Pfeffer · Paprikapuder · Cayennepfeffer · 100 g Maiskolben (Dose) · 1 Eierl. Öl · Salz · 1 Eßl. Tomaten-Paprika (Dose)

Schweinefilet, Selleriesalat

Filet ohne Fett braten, salzen und pfeffern. Dazu Petersilienkartoffeln und Selleriesalat (ohne Öl).

150 g Schweinefilet · Salz · Pfeffer · 3 kleine Kartoffeln · Petersilie · 150 g Sellerie aus der Dose

Apfelsinensteaks, Gurken-Rohkost

Körnig gekochten Reis mit dem Hackfleisch mischen, mit Salz und abgeriebener Apfelsinenschale abschmekken und flache Frikadellen formen. Auf beiden Seiten ohne Fett knusprig braten und mit Apfelsinenscheiben belegen. Die Gurke in feine Scheibchen schneiden und mit Öl, Essig, Salz, Pfeffer und gewiegtem Dill anmachen.

2 knappe Eßl. Reis · 150 g mageres Schweinehack · Salz · abgeriebene Apfelsinenschale · 1/2 Apfelsine · 1/3 Gurke · 2 Eierl. Öl · Essig · Salz · Pfeffer · Dill

Grüne Bohnen mit Hammelfilet

100 g mageres Hammel-filet · Salz · Pfeffer · Knoblauch · 1 Teel. geriebenen Meerrettich · ¹/₂ kleine Zwiebel · ¹/₂ Teel. Margarine · 200 g grüne Bohnen · Bohnenkraut · 3 kleine Kartoffeln

Das Hammelfilet ohne Fett braten, mit Salz, Pfeffer, einer Spur Knoblauch würzen und mit geriebenem Meerrettich anrichten. Die gehackte Zwiebel in Margarine andünsten, die geputzten Bohnen zugeben. Mit einer Tasse Wasser auffüllen und weich dünsten. Mit Salz, Pfeffer und feingewiegtem, frischem Bohnenkraut abschmecken. Kartoffeln schälen und in Salzwasser kochen.

Gegrilltes Hammelkotelett

125 g sehr mageres Hammelkotelett · 1 Eierl. Öl · Salz · Pfeffer · 2 Eßl. Pfefferminz · 1 Eßl. Weinessig · 1 Tabl. Süßstoff · ¹/₂ Teel. Senf · Fleischwürze · Zitronen-schale · 1 Eßl. Weißwein · 1 Handvoll Kresse · Zitronensaft · 2 kleine Kartoffeln

Das Hammelfleisch mit Öl bestreichen und grillen. Mit Salz und Pfeffer bestreuen. Die Soße aus Pfefferminz, Essig, Süßstoff, Senf, Salz, Fleischwürze, abgeriebener Zitronenschale und Wein in einem kleinen Töpfchen kurz aufkochen lassen und über das fertige Fleisch gie-ßen. Die Kresse mit Zitronensaft und Salz würzen. Dazu Salzkartoffeln.

Lammsteak, Champignons, Bohnen

100 g Champignons · Salz · Pfeffer · Petersilie · 1 Schuß Weißwein · 125 g Lammsteak · 2 kleine Kartoffeln · 200 g Bohnen

Die blättrig geschnittenen Champignons in wenig Was-ser dünsten, mit Salz, Pfeffer, gehackter Petersilie und Weißwein abschmecken. Lammsteak von beiden Seiten ohne Fett braten, salzen und pfeffern. Zusammen mit den Pilzen und den gekochten Kartoffeln anrichten. Die Bohnen als Gemüse oder Salat zubereiten.

Kalbsbries mit Kartoffeln und Salat

Das Bries mit Wasser überbrühen, häuten und mit Salz und Pfeffer einreiben. Die kleingeschnittene Mohrrübe, Sellerieknolle und Petersilie in Öl anrösten und das Bries zugeben. Mit Wasser ablöschen und weich dünsten. Das Gemüse passieren, mit Wasser und Buttermilch auffüllen und mit gekörnter Brühe und Zitronensaft abschmecken. Dazu Salzkartoffeln und Salat mit Zitronensaft.

150 g Kalbsbries · Salz · Pfeffer · 1 große Mohrrübe · 1 Stückchen Sellerieknolle · Petersilie · 1 Teel. Öl · 2 Eßl. Buttermilch · gekörnte Brühe · Zitronensaft · 2 kleine Kartoffeln · 1 kleiner Kopfsalat

Lungenhaschee, Salzkartoffeln

Die von Röhren befreite, gewaschene Lunge in siedendes Salzwasser geben, Essig, das zerkleinerte Gemüse (Mohrrübe, Porree, Petersilienwurzel) und die Zwiebel zugeben und bei schwacher Hitze etwa eine Stunde kochen lassen. Aus der Margarine und dem Mehl eine hellbraune Schwitze bereiten, mit Brühe ablöschen. Die Lunge feinhacken und in die Soße geben. Mit Zitronensaft und -schale, Salz, Pfeffer und Süßstoff abschmecken. Dazu Salzkartoffeln und die in Scheiben geschnittene Tomate.

200 g Kalbslunge · Salzwasser · 1 Eßl. Essig · 1 Mohrrübe · 1 Stückchen Porree · 1 Stückchen Petersilienwurzel · 1/2 kleine Zwiebel · 1/2 Teel. Margarine · 1 gestr. Eßl. Mehl · Zitronensaft · Zitronenschale · Salz · Pfeffer · 1 Tabl. Süßstoff · 2 kleine Kartoffeln · 1 große Tomate

Geschnetzelte Niere, grüner Salat, Pellkartoffeln

Die von Sehnen, Haut und Fett befreite und gewässerte Niere in Scheiben schneiden und in Öl anbraten. Salzen, pfeffern, mit Mehl bestäuben und mit etwas Wasser ablöschen. Die Soße mit Senf und Buttermilch abschmecken. Dazu Pellkartoffeln und grüner Salat mit einer Marinade aus Zitronensaft, Selleriesalz und frischen Kräutern.

150 g Kalbs- oder Schweineniere · 1 Eierl. Öl · Salz · Pfeffer · 1 Teel. Mehl · Senf · 2 Eßl. Buttermilch · 2 mittelgroße Kartoffeln · 1 kleiner Kopfsalat · Zitronensaft · Selleriesalz · frische Kräuter

Leberspieß

1 Scheibe Schweine- oder
Kalbsleber (100 g) ·
25 g gekochter, magerer
Schinken · ¹/₂ mittelgroße
Zwiebel · 4 Champignon-
köpfe · ¹/₂ kleiner Apfel ·
1 Teel. Öl · Salz · Pfeffer ·
¹/₂ Brötchen oder
1 Scheibe Weißbrot

Abwechselnd Leber- und Schinkenstücke, Zwiebelringe, Champignonköpfe und Apfelstücke auf einen
Spieß stecken, mit Öl bestreichen, grillen, salzen und
pfeffern. Dazu gibt es ein halbes Brötchen oder Weißbrot.

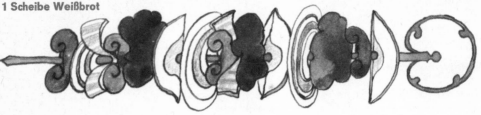

Kutteln süß-sauer, Kartoffeln, Salat

200 g Kutteln · 1 Eierl. Öl ·
1 Teel. Tomatenmark ·
1 Teel. Mehl · Salz ·
Pfeffer · Zitronensaft
oder Essig · 1 Tabl.
Süßstoff · 2 kleine
Kartoffeln · 1 kleiner
Kopfsalat · 2 EßI. Buttermilch · Petersilie

Die Kutteln gründlich waschen und in feine Streifen
schneiden. In Öl anbraten, mit etwas Wasser ablöschen
und weich dünsten. Das Tomatenmark und das Mehl
einrühren und mit Salz, Pfeffer, Zitronensaft oder Essig
und Süßstoff abschmecken. Dazu Salzkartoffeln. Den
Salat mit einer Soße aus Buttermilch, gehackter Petersilie und Salz anmachen.

Saure Leber und Gurkenrohkost

150 g Rinder- oder
Schweineleber · ¹/₂ kleine
Zwiebel · 1 EßI. Butter-
milch · Salz · Pfeffer ·
Essig · Süßstoff · 2 kleine
Kartoffeln · ¹/₂ mittelgroße
grüne Gurke · Petersilie ·

Die Leber in feine Scheiben schneiden und zusammen
mit der gehackten Zwiebel kurz anrösten. Mit etwas
Wasser ablöschen, die Buttermilch dazugießen. Mit
Salz, Pfeffer, etwas Essig und Süßstoff abschmecken.
Dazu Salzkartoffeln und Gurkenscheiben mit Petersilie.

Leber mit Apfel- und Zwiebelringen

Leber mit den Apfel- und Zwiebelringen ohne Fett in einer beschichteten Pfanne braten. Die Leber wenden und sofort mit etwas Wasser ablöschen, dann salzen und pfeffern. Kopfsalat mit einer Marinade aus Buttermilch, Zitronensaft und Selleriesalz anmachen. Dazu Salzkartoffeln.

150 g Rinder- oder Schweineleber · ¹/₂ kleiner Apfel · ¹/₂ kleine Zwiebel · Salz · Pfeffer · 1 kleiner Kopfsalat · 3 EBl. Buttermilch · Zitronensaft · Selleriesalz · 2 kleine Kartoffeln

Gegrillte Kalbsnieren und Rosenkohl

Die enthäutete Kalbsniere durchschneiden und etwa eine halbe Stunde in Milch legen. Sorgfältig abtrocknen und im vorgeheizten Grill von beiden Seiten bräunen. Mit Salz, Pfeffer und etwas abgeriebener Muskatnuß würzen. Den Rosenkohl in Salzwasser dünsten und mit Muskat abschmecken. Dazu Petersilienkartoffeln.

150 g Kalbsniere · ¹/₄ l Milch · Salz · Pfeffer · Muskat · 150 g Rosenkohl · 2 kleine Kartoffeln · Petersilie

Currywurst mit Blumenkohlsalat

Die Wurst ohne Fett von allen Seiten braten und nach Geschmack mit Currypuder bestreuen. Den Blumenkohl in Salzwasser fast weich kochen und in einer Marinade aus Quark, etwas Wasser, Zitronensaft, Salz und Süßstoff gut ziehen lassen. Mit gehackter Petersilie anrichten.

80 g Kalbsbratwurst · Currypuder · 300 g Blumenkohl ohne Strunk · 1¹/₂ EBl. Magerquark · Zitronensaft · Salz · 1 Tabl. Süßstoff · Petersilie

Kalbsbratwurst, Sauerkraut

Bratwurst mit Butter bestreichen und braten oder grillen. Das Sauerkraut roh dazu essen oder weich dünsten. Salzkartoffeln.

150 g Kalbsbratwurst · 1 Messerspitze Butter · 250 g Sauerkraut · 2 kleine Kartoffeln

Bratwurst mit Gurkengemüse

100 g Kalbsbratwurst ·
1 mittelgroße Gurke ·
¹/₂ kleine Zwiebel · 1 Teel.
Margarine · 2 Tomaten ·
2 Eßl. Buttermilch · Salz ·
Fleischwürze · Rosen-
paprika · Dill · 2 kleine
Kartoffeln

Die Bratwurst fettfrei knusprig braten. Die Gurke schälen, in Stäbchen schneiden und mit der gehackten Zwiebel in der Margarine dünsten. Eine zerkleinerte Tomate
zugeben, etwas Wasser dazugießen und mit Buttermilch, Salz, Fleischwürze und Rosenpaprika abschmekken. Mit gehacktem Dill, der zweiten in Scheiben geschnittenen Tomate und Salzkartoffeln anrichten.

Fleischwurst

80 g Fleischwurst ·
¹/₂ kleine Zwiebel · 200 g
Sellerieknolle · etwas
Zitronensaft · Salz ·
Paprika · Fleischwürze ·
1¹/₂ Eßl. Magerquark ·
Petersilie

Die Fleischwurst mit den Zwiebelringen fettfrei braten.
Die geschälte Sellerieknolle in Würfel schneiden und
in etwas Wasser mit Zitronensaft dämpfen. Mit Salz,
Paprika, Fleischwürze abschmecken und den Quark mit
der Soße gut verrühren. Mit gehackter Petersilie anrichten.

Rehsteak

Das Rehsteak an den Rändern enthäuten, waschen, salzen, pfeffern und mit Öl bepinseln. Im Grill oder in einer Pfanne von beiden Seiten braten. Die halbe Scheibe Ananas und die Kirschen darauf anrichten. Den Reis in Salzwasser ca. 15 Minuten körnig kochen und den gewaschenen Kopfsalat mit einer Marinade aus Zitronensaft, Buttermilch, Selleriesalz und verschiedenen Sorten gehackter Kräuter anmachen.

150 g Rehsteak · Salz · Pfeffer · 1 Eierl. Öl · 1/2 Scheibe Ananas · 4 entsteinte Sauerkirschen · 1 gehäufter Eßl. Reis · 1 Teller Kopfsalat · Zitronensaft · 1 Eßl. Buttermilch · Selleriesalz · gehackte Kräuter

Flambiertes Rehsteak

Das Rehsteak über Nacht in Buttermilch einlegen. Gut abtrocknen und zusammen mit dem kleingeschnittenen Lachsschinken in einer beschichteten Pfanne von beiden Seiten braten. Mit Salz und Pfeffer einreiben, den Weinbrand zugeben, die Pfanne vom Herd nehmen und sofort flambieren. Sherry, Tomatenketchup und Buttermilch zu Soße verrühren. Das Rehsteak mit der Soße und 1/2 Scheibe Ananas anrichten. Dazu Kartoffelschnee aus ganz weich gekochten Salzkartoffeln und etwas Wasser. Mit einem Rührstab sehr schaumig schlagen.

150 g Rehsteak · Buttermilch zum Einlegen am Vortag · 2 dünne Scheibchen Lachsschinken · Salz · Pfeffer · Cayennepfeffer · 1 Eßl. Weinbrand (40 %) · 1 Eßl. Sherry · 1 Eßl. Tomatenketchup · 1 Eßl. Buttermilch · 1/2 Scheibe Ananas aus der Dose · 3 kleine Kartoffeln

Fasan mit Weinkraut

Den Fasan mit Salz einreiben. In eine mit Wasser ausgespülte Pfanne legen und mit Lachsschinkenstreifen kurz anbraten. Mit etwas Wasser und Buttermilch ablöschen, das Lorbeerblatt und die Pfefferkörner dazugeben und auf kleiner Flamme garen. Das Sauerkraut in wenig Wasser mit einigen Wacholderbeeren weich dünsten. Mit Weißwein abschmecken. Dazu Kartoffelschnee aus Salzkartoffeln und etwas Wasser.

150 g Fasan · Salz · 1 Scheibe Lachsschinken · 2 Eßl. Buttermilch · 1 Lorbeerblatt · Pfefferkörner · 150 g Sauerkraut · Wacholderbeeren · 1 Eßl. Weißwein · 2 kleine Kartoffeln

Hasenrücken

200 g Hasenrückensteak ·
Salz · Pfeffer · 1 Eierl. Öl ·
¹/₂ kleine Apfelsine ·
2 kleine Kartoffeln ·
Muskat · Zitronensaft ·
1 Teller Feldsalat

Das Fleisch mit Salz und Pfeffer einreiben. Mit Öl bestreichen und grillen. Die in Scheiben geschnittene Apfelsine im heißen Grill mit erwärmen und auf dem Steak anrichten. Die geschälten Kartoffeln kochen und mit etwas heißem Wasser zu Brei rühren. Mit Salz und Muskat abschmecken. Dazu mit Salz und Zitronensaft gewürzter Feldsalat.

Hasenkeule

125 g Hasenkeule
(Gewicht ohne Knochen) ·
Salz · Pfeffer · 1 dünne
Scheibe durchwachsenen
Speck · 2 Eßl. Buttermilch · 150 g Rotkohl ·
1 Lorbeerblatt · Salz ·
etwas Fleischwürze ·
1 Tabl. Süßstoff ·
1 mittelgroße Kartoffel

Die gehäutete Hasenkeule waschen, salzen, pfeffern und mit dem kleingeschnittenen Speck braten. Mit der Buttermilch und etwas Wasser ablöschen. Den Rotkohl mit einem Lorbeerblatt in wenig Wasser dünsten, mit Salz, Fleischwürze und einer Tablette Süßstoff abschmecken. Dazu eine Salzkartoffel.

Gegrilltes Hähnchen

Das Brathähnchen mit Salz und Paprikapuder einreiben, mit Öl bestreichen und grillieren. Den gewaschenen Blumenkohl im ganzen in Salzwasser mit etwas Bouillonwürfel fast weich kochen und mit gehackter Petersilie anrichten. Dazu eine Salzkartoffel.

1/4 Hähnchen (150 g ohne Knochen) · Salz · Paprikapuder · 1 Eierl. Öl · 1/2 kleiner Blumenkohl (250 g) · etwas Bouillonwürfel · Petersilie · 1 Kartoffel

Hühnerklein mit Salzkartoffeln

Das in Streifen geschnittene Hühnerklein wird mit der gehackten Zwiebel in Öl angeröstet. Mit etwas Wasser ablöschen, Salz, Pfeffer, Rosenpaprika, Lorbeerblatt, Petersilie und etwas Fleischwürze dazugeben und das Hühnerklein weich dünsten. Dazu Salzkartoffeln und in dünne Scheiben geschnittene Tomaten.

150 g Hühnerklein · 1/2 kleine Zwiebel · 1 Eierl. Öl · Salz · Pfeffer · Rosenpaprika · 1 Lorbeerblatt · Petersilie · Fleischwürze · 2 kleine Kartoffeln · 2 Tomaten

Hähnchen mit Curryreis

Die Hähnchenkeule mit Salz und Pfeffer einreiben, mit Öl bestreichen und knusprig braten. Den Reis in Salzwasser körnig kochen, mit Currypuder würzen und die in ganz kleine Stücke geschnittene Ananas untermengen. Dazu eine Portion Feldsalat, angemacht mit einer Soße aus Zitronensaft, Salz, Pfeffer, Senf und gehackter Zwiebel.

1 Hähnchenkeule (200 g) · Salz · Pfeffer · 1 Eierl. Öl · 1 Eßl. Reis · Currypuder · 1/2 Scheibe Ananas (Dose, 30 g) · 1 Portion Feldsalat · Zitronensaft · Senf · 1/4 Zwiebel

Gegrilltes Hähnchen, Rote-Bete-Salat

Hähnchen mit Salz und Rosenpaprika einreiben, mit Öl bestreichen und grillen oder braten. Salzkartoffeln. Dazu fertig gekaufter Rote-Bete-Salat.

1/2 kleines Hähnchen · Salz · Rosenpaprika · 1 Eierl. Öl · 2 kleine Kartoffeln · 100 g Rote-Bete-Salat aus dem Glas

Hähnchen mit Reis

½ kleines Hähnchen
(200 g) · Salz · Rosen-
paprika · 1 Eierl. Öl ·
1 Eßl. Perlzwiebeln. 1 Eßl.
Tomatenmark · ½ kleine
Paprikaschote · Zitronen-
saft · Thymian ·
Knoblauch · Cayenne-
pfeffer · 1 gehäufter Eßl.
Reis

Das Hähnchen mit Salz und Rosenpaprika einreiben, mit Öl bestreichen und in einer kleinen Pfanne anbraten. Mit etwas Wasser ablöschen. Gehackte Perlzwiebeln, Tomatenmark und die in feine Streifen geschnittene Paprikaschote zugeben. Mit Zitronensaft, Thymian, Knoblauch und Cayennepfeffer abschmecken und dünsten. Dazu in Salzwasser gekochter Reis.

Puterbraten

125 g Puterbrust (ohne
Haut und Knochen) ·
Salz · Pfeffer ·
1 kleine Scheibe
durchwachsenen Speck ·
2 Eßl. Buttermilch ·
1 Stange Chicorée ·
Zitronensaft · Salz ·
Pfeffer · ½ Scheibe
Ananas

Die Puterbrust salzen, pfeffern und mit dem durchwachsenen Speck anbraten. Mit der Buttermilch und etwas Wasser ablöschen und garen lassen. Chicorée in feine Streifen schneiden, mit Zitronensaft, Salz und Pfeffer abschmecken und die in Stückchen geschnittene Ananasscheibe daruntermengen. Alles gut vermischen und durchziehen lassen.

Puterspieß

100 g Puterbruststeak ·
1 Scheibe Ananas
aus der Dose ·
4 Champignonköpfe ·
1 Teel. Öl · 2 Eßl.
Bier · Currypuder ·
Salz · ½ Brötchen
oder 1 dünne Scheibe
Weißbrot

Das Fleisch und die Ananas in Stücke schneiden. Abwechselnd mit den Champignonköpfen auf einen Spieß stecken. Öl und Bier mit Currypuder mischen und den Spieß damit bestreichen. Grillen und salzen. Dazu das Brötchen oder Weißbrot.

Grillierte Felchen

Felchen von Flossen und Schwanz befreien, waschen und mit Zitronensaft beträufeln. Etwa ½ Stunde stehenlassen. Danach abtrocknen, innen mit Salz einreiben, außen mit Öl bestreichen und im heißen Grill von beiden Seiten grillieren. Die weiche Butter mit gehackten Kräutern und etwas Salz vermischen, kühl stellen und vor dem Anrichten auf den Fisch geben. Dazu eine Petersilienkartoffel und Salat, der mit Salz, Zitronensaft und einer in Wasser aufgelösten Tablette Süßstoff angemacht wird.

300 g Felchen (Gewicht mit Abfall) · Zitronensaft · Salz · 1 Teel. Öl · 1 Teel. Butter · Kräuter · 1 mittelgroße Kartoffel · Petersilie · 1 Teller Kopfsalat · Salz · Zitronensaft · 1 Tabl. Süßstoff

Gespickter Zander in Weißweinsoße

Fisch mit Speckstreifen spicken und salzen. In eine feuerfeste Form geben und anbraten. Mit Weißwein und etwas Wasser bedecken und etwa zehn Minuten ziehen lassen. Die Soße mit Pfeffer und Dosenmilch abschmecken und mit dem kalt angerührten Kartoffelstärkemehl andicken. Mit reichlich gehacktem Dill bestreuen. Dazu Salzkartoffeln und geviertelte Tomaten.

150 g Zanderfilet · 1 kleine Scheibe durchwachsener Speck · Salz · 2 EßI. Weißwein · Pfeffer · 1 Teel. Dosenmilch, 7,5%ig, ungezuckert · 1 knapper Teel. Kartoffelstärkemehl · Dill · 2 kleine Kartoffeln · 2 Tomaten

Kabeljaufilet, Senfsoße

**200 g Kabeljaufilet ·
Zitronensaft · Salz ·
1 Teel. Margarine ·
1 gestr. Eßl. Mehl · Senf ·
2 kleine Kartoffeln**

Fischfilet mit Zitronensaft beträufeln und etwa 1/2 Stunde stehenlassen. Aus Margarine, Mehl und etwas Wasser eine weiße Soße bereiten, mit Senf und Salz abschmecken. Fisch in der Soße auf kleiner Flamme gar ziehen lassen. Dazu Salzkartoffeln.

Seezungenfilet mit Champignons

**200 g Seezungenfilet ·
Zitronensaft · 1 Teel.
Butter · Salz · 1/2 kleine
Zwiebel · 2 Eßl.
Champignons ·
1 mittelgroße Kartoffel ·
Petersilie**

Seezungenfilet waschen, mit Zitronensaft einreiben und etwa 1/2 Stunde stehenlassen. Danach in eine gebutterte, feuerfeste Form geben, die zu Ringen geschnittene Zwiebel, die blättrig geschnittenen Champignons und Salz dazugeben und bei milder Hitze etwa 20 Minuten gar dünsten. Dazu eine Petersilienkartoffel.

Fischfilet in Tomatensoße

**200 g Lengfischfilet ·
Zitronensaft oder Essig ·
1 Teel. Öl · 1 kleine
Zwiebel · 1 Eßl. Tomaten-
mark · Salz · Petersilie ·
2 kleine Kartoffeln ·
1 kleiner Kopfsalat ·
Selleriesalz**

Das Fischfilet waschen und mit Zitronensaft oder Essig beträufeln. Etwa 1/2 Stunde ziehen lassen. In einer feuerfesten Form zusammen mit dem Öl und den Zwiebelringen dünsten. Das Tomatenmark mit dem Fischsud verrühren, mit Salz abschmecken und Petersilie darüberstreuen. Dazu Salzkartoffeln und Salat mit Zitronensaft und Selleriesalz.

Forelle blau, Meerrettichbutter, Salat

Die ausgenommene Forelle mit heißem Essig übergießen. In kochendem Wasser mit etwas Essig, Salz,
einigen Pfefferkörnern und 1/2 Lorbeerblatt gar ziehen
lassen. Weiche Butter mit Meerrettich vermischen. Neben der Forelle anrichten. Dazu Salzkartoffeln mit
Petersilie und Salat mit einer Soße aus Buttermilch,
Zitronensaft, Salz und Süßstoff.

**300 g Forelle (Gewicht
ohne Abfall) · Essig ·
Salz · Pfefferkörner ·
1/2 Lorbeerblatt · 1/2 Teel.
Butter · 1 Teel. geriebener
Meerrettich · 3 kleine
Kartoffeln · Petersilie ·
1 Teller grüner Salat ·
2 Eßl. Buttermilch ·
Zitronensaft · Salz · evtl.
Süßstoff**

Scholle, Kopfsalat, Kartoffeln

Die Scholle säubern, mit Zitronensaft und Salz einreiben, mit Öl bestreichen, im Grill oder Backofen braten. Butter mit den feingewiegten Kräutern gut vermischen und die Scholle damit belegen. Dazu Salzkartoffeln und Salat mit einer Marinade aus Buttermilch,
Zitronensaft.

**300 g Scholle (Gewicht
ohne Abfall) · Zitronen-
saft · Salz · 1 Eierl. Öl ·
1 Teel. Butter · Petersilie ·
Dill · 3 kleine Kartoffeln ·
1 Teller Kopfsalat ·
2 Eßl. Buttermilch ·
Zitronensaft · evtl.
Süßstoff**

Heilbuttschnitte mit Dillbutter

Die Heilbuttschnitte waschen, salzen, mit Zitronensaft
einreiben und etwa 1/2 Stunde stehenlassen. Den Fisch
auf kleiner Flamme im Sud gar ziehen lassen. Die weiche
Butter mit reichlich gehacktem Dill und etwas Salz abschmecken, kühl stellen und auf der fertigen Fisch-
schnitte anrichten. Dazu eine in Scheiben geschnittene
Tomate und eine Salzkartoffel.

**150 g Heilbutt (Gewicht
ohne Abfall) · Salz ·
Zitronensaft · Fischsud
(Wasser, 1 Eßl. Essig,
Salz, einige Pfeffer-
körner, 1 Lorbeerblatt,
1/2 kleine Zwiebel) ·
1 Teel. Butter · Dill · Salz ·
1 mittelgroße Tomate ·
1 mittelgroße Kartoffel**

Gegrillter Hummer mit gebackener Kartoffel

250 g Hummer im Stück · Salz · Pfeffer · 1 Eierl. Öl · 1/2 Teel. Senf · 2 EßI. Buttermilch · Petersilie · Zitronenscheiben · Salatblätter · 1 große Kartoffel

Den Hummer der Länge nach halbieren, salzen, pfeffern und mit Öl bestreichen. Mit dem Rücken nach unten in den vorgeheizten Grill legen. Sobald das Innere fest wird, mit Senf und Buttermilch bestreichen, umdrehen und einige Minuten schmoren lassen. Mit reichlich gehackter Petersilie, einigen Zitronenscheiben und Salatblättern anrichten. Die Kartoffel mit Schale gründlich bürsten und in Aluminiumfolie wickeln. Eine gute halbe Stunde im heißen Ofen backen.

Kabeljau, Meerrettichsoße, Tomate

300 g Kabeljau (Gewicht ohne Abfall) · Essig · Salz · Pfefferkörner · 1/2 Lorbeerblatt · 1 Teel. Butter · 1 gestr. EßI. Mehl · 1 Teel. Meerrettich · 2 kleine Kartoffeln · Petersilie · 1 Tomate

Den Fisch mit heißem Essig übergießen und in kochendem Wasser mit den Gewürzen gar ziehen lassen. Aus Butter, Mehl und etwas Fischsud eine weiße Soße bereiten, mit Meerrettich abschmecken. Salzkartoffeln mit Petersilie bestreuen. Die Tomatenscheiben dazugeben.

Fischfrikassee, Rote-Bete-Salat

150 g Kabeljaufilet · Essig oder Zitronensaft · 1 Teel. Margarine · 1 EßI. Mehl · gekörnte Brühe · Salz · 1 kleine Knolle rote Bete · Pfeffer · 1 Tabl. Süßstoff · 1 kleine Kartoffel · Petersilie

Das Fischfilet waschen, mit Essig oder Zitronensaft beträufeln und etwa 1/2 Stunde ziehen lassen. Aus Margarine, Mehl und etwas Wasser eine helle Soße bereiten. Mit gekörnter Brühe, Salz und Zitronensaft abschmecken. Das in Würfel geschnittene Fischfilet in der Soße gar ziehen lassen. Die geschälte Knolle rote Bete in Wasser kochen, in Scheiben schneiden und mit Essig, Salz, Pfeffer und Süßstoff abschmecken. Dazu eine Salzkartoffel mit gehackter Petersilie.

Fischtopf mit Petersilienkartoffeln

Das Fischfilet mit Zitronensaft beträufeln und eine halbe Stunde stehenlassen. Mit Salz einreiben und in eine feuerfeste Form legen. Mit Butter- oder Margarineflöckchen bestreuen, mit Zwiebelringen und Tomatenscheiben belegen. Im Backofen oder auf dem Herd mit geschlossenem Deckel ungefähr 15 Minuten dünsten. Dazu Salzkartoffeln mit viel gehackter Petersilie.

180 g Kabeljaufilet · Zitronensaft · Salz · 1 gehäufter Teel. Butter oder Margarine · ¹/₂ mittelgroße Zwiebel · 2 mittelgroße Tomaten · 2 kleine Kartoffeln · Petersilie

Hering in Kräutersoße

Den Hering säubern, salzen und mit viel gehackter Petersilie füllen. In Alufolie wickeln und im Grill oder einer geschlossenen Pfanne etwa 15 Minuten garen. Den Joghurt und den Quark verrühren. Ketchup, die gehackte Gewürzgurke, Schnittlauch und Dill zugeben und mit Salz abschmecken. Dazu Salzkartoffeln und grüner Salat mit einer Soße aus Zitronensaft und Süßstoff.

100 g Hering (ganzer Fisch) · Salz · Petersilie · ¹/₂ Becher Magermilch-Joghurt · 1 Eßl. Magerquark · 1 Eßl. Ketchup · 1 Gewürzgurke · Schnittlauch · Dill · Salz · 2 kleine Kartoffeln · 1 kleiner Kopfsalat · Zitronensaft · 1 Tabl. Süßstoff

Fischspieß

Filetstückchen mit Zitronensaft beträufeln, ziehen lassen und abwechselnd mit Tomaten-, Zwiebel- und Lauchstückchen aufspießen und salzen. Öl und Weißwein mischen und den Spieß mehrmals damit bestreichen. Grillen. Butter mit Petersilie und Knoblauch vermengen und auf den Fischstücken verteilen. Dazu Brötchen oder Weißbrot.

150 g verschiedene Fischfilets (Kabeljau, Schellfisch, Seelachs) · 1 mittelgroße Tomate · 1 mittelgroße Zwiebel · 1 Stückchen Porree · Salz · 1 Teel. Öl · 1 Eßl. Weißwein · ¹/₂ Teel. Butter · Petersilie · Knoblauchzehe · ¹/₂ Brötchen oder 1 Scheibe Weißbrot

Fisch auf der Platte

200 g Schellfischfilet ·
Zitronensaft · Salz ·
1 kleine Scheibe durch-
wachsener Speck ·
1 kleine Möhre · 1/2 Zwiebel · 1 Tomate · Rosen-
paprika · 2 kleine
Kartoffeln · Petersilie

Das Fischfilet mit Zitronensaft und Salz einreiben. Die kleingeschnittene Speckscheibe in eine feuerfeste Form legen, Möhrenscheibchen und die kleingeschnittene Zwiebel und Tomate zugeben und den Fisch darauflegen. Im Backofen oder Grill backen. Mit Rosenpaprika abschmecken, Salzkartoffeln mit Petersilie bestreuen.

Fischklopse

150 g Kabeljaufilet · Essig
oder Zitronensaft ·
1/2 Brötchen · 1/2 kleine
Zwiebel · 1/2 Ei · Salz ·
Pfeffer · 1 Teel. Öl ·
1 Teel. Mehl · 1 Teel.
Kapern · 1 großer Kopf-
salat · Selleriesalz ·
1 Tabl. Süßstoff · Kräuter

Das Fischfilet waschen, mit Essig oder Zitronensaft beträufeln und etwa 1/2 Stunde ziehen lassen. Danach den Fisch durch den Fleischwolf geben oder hacken und mit dem eingeweichten, gut ausgedrückten Brötchen, der gehackten Zwiebel, dem Ei, Salz und Pfeffer gut vermengen. Mit feuchten Händen kleine Klopse formen. Aus dem Öl, Mehl und Wasser eine helle Soße bereiten, mit Salz, Kapern, Zitronensaft abschmecken und die Klopse darin garen. Den grünen Salat mit Zitronensaft, Selleriesalz, Süßstoff und reichlich gehackten Kräutern anmachen.

Fischfrikadellen und Kopfsalat

150 g Schellfischfilet ·
Zitronensaft · 1/2 kleine
Zwiebel · 1 Ei · 3 kleine
geschälte Kartoffeln ·
Salz · Pfeffer · gehackte
Petersilie · 1 Eierl. Öl ·
1 Teller Kopfsalat ·
Selleriesalz · Zitronensaft

Das Fischfilet waschen und mit Zitronensaft beträufeln, etwa 1/2 Stunde stehenlassen. Fisch, Zwiebel, Ei und die heißen Salzkartoffeln durch den Fleischwolf drehen und gut mischen. Mit Salz, Pfeffer und der gehackten Petersilie abschmecken. Flache Klößchen formen, mit Öl bestreichen und im heißen Grill oder einer beschichteten Pfanne braten. Dazu Salat mit Selleriesalz und Zitronensaft.

Schinken, Omelette, Salat

Aus den Eiern, Salz, Selterswasser und Mehl einen Omeletteteig bereiten, den in Streifen geschnittenen Schinken zugeben und dünne Omeletten ausbacken. Dazu Salat, nach Geschmack gewürzt (ohne Öl).

2 Eier · Salz · etwas Selterswasser · 2 gestr. Eßl. Mehl · 4 dünne Scheiben Lachsschinken · 1 Teller Salat · Zitronensaft · Süßstoff

Kräuter-Omelette, Tomate

Aus den Eiern, Salz, Selterswasser, Quark und Mehl einen Omeletteteig bereiten. Die feingewiegten Kräuter zugeben und dünne Omeletten ausbacken. Dazu Tomatenscheiben.

2 Eier · Salz · etwas Selterswasser · 1 Eßl. Magerquark · 2 schwach gehäufte Eßl. Mehl · Petersilie · Dill · Schnittlauch · Kerbel · 2 mittelgroße Tomaten

Baskische Eier

Paprikaschote in Streifen schneiden, zusammen mit den Tomatenscheiben in wenig Wasser dünsten. Die mit etwas Wasser und Quark gut verquirlten Eier darübergeben und stocken lassen. Mit Salz und Rosenpaprika würzen. Salzkartoffeln.

1 kleine Paprikaschote · 2 mittelgroße Tomaten · 1¹/₂ Eßl. Magerquark · 2 Eier · Salz · Rosenpaprika · 2 kleine Kartoffeln

Rührei, Pfifferlinge, Spinat

200 g Pfifferlinge ·
¹/₂ kleine Zwiebel · etwas
Selterswasser · 1 gestr.
Eßl. Magerquark · 2 Eier ·
Salz · Pfeffer · Petersilie ·
250 g Spinat (frisch oder
tiefgekühlt) · Muskat ·
Fleischwürze · 2 kleine
Kartoffeln

Die vorbereiteten Pilze mit der feingewiegten Zwiebel in wenig Wasser gar dünsten. Über die Pilze werden die mit Selterswasser und Quark verquirlten Eier gegeben. Eier stocken lassen, mit Salz, Pfeffer und Petersilie würzen. Spinat dünsten und mit Muskat und Fleischwürze abschmecken. Salzkartoffeln.

Rohkost mit Rührei

150 g grüne Gurke ·
2 Tomaten · 1 mittelgroße
Paprikaschote · 1 kleines
Stückchen Pfefferschote ·
1 Teel. Öl · etwas Essig ·
Senf · Salz · ¹/₂ kleine
Zwiebel · Petersilie ·
2 Eier · 3 Eßl. Vollmilch

Die grüne Gurke und die Tomaten in feine Scheiben und die Paprikaschote in dünne Streifen schneiden. Das Stückchen Pfefferschote feinhacken. Aus Öl, Essig, Senf und Salz eine Soße bereiten und über das Gemüse geben. Den Rohkostsalat gut mischen, durchziehen lassen und mit dünnen Zwiebelringen und Petersilie garnieren. Die Eier mit Milch und etwas Salz verquirlen und in einer Bratpfanne stocken lassen.

Gefüllte Omeletten

¹/₂ kleine Zwiebel · 1 Eierl.
Öl · ¹/₈ Pfund Beefsteak-
Hack · 1 Teel. Tomaten-
mark · Pfeffer · Salz ·
1 Schuß Rotwein · 1 Ei ·
2 gestr. Eßl. Mehl · Salz ·
Selterswasser · 1 kleines
Paket tiefgefrorener
Spinat (150 g) · Fleisch-
würze · Muskat

Die gehackte Zwiebel in dem heißen Öl hellgelb werden lassen, das Hack zugeben und anbraten. Mit Wasser ablöschen und mit Tomatenmark, Pfeffer, Salz und Rotwein würzen. Aus Ei, Mehl, Salz und Selterswasser einen Teig bereiten und 2 bis 3 Omeletten fettfrei ausbacken. Die fertigen Omeletten mit dem Hack füllen. Den Spinat auftauen lassen, erhitzen und mit Fleischwürze und Muskat abschmecken.

Omelette mit Spargel

Spargel mit Spargelwasser und etwas Süßstoff erwärmen. Abtropfen lassen, mit gehackter Petersilie bestreuen und warm stellen. Aus Eiern, Salz, Selterswasser, Mehl und Quark einen Omeletteteig bereiten und dünne Omeletten ausbacken. Mit den Spargelstangen belegen und sofort servieren.

250 g Spargel (Dose) · etwas Süßstoff · Petersilie · 2 Eier · Salz · etwas Selterswasser · 2 gestr. Eßl. Mehl · 1 gestr. Eßl. Magerquark

Gurken-Omelette

Aus den Eiern, Salz, Selterswasser, Quark und Mehl einen Omeletteteig bereiten und dünne Omeletten ausbacken. Die geschälte Gurke in Stücke schneiden, in wenig Wasser dünsten, die Buttermilch darübergeben und mit Salz und Fleischwürze abschmecken. Auf die fertigen Omeletten geben und mit Dill oder Petersilie bestreuen.

2 Eier · Salz · etwas Selterswasser · 1 Eßl. Magerquark · 2 schwach gehäufte Eßl. Mehl · ¹/₃ grüne Gurke · 2 Eßl. Buttermilch · Salz · Fleischwürze · Dill oder Petersilie

Spargel nach Malteser Art

250 g Spargel · Süßstoff ·
1 Eigelb · 1 gestr. EßI.
Stärkepuder · ¹/₂ Teel.
Butter · 3 Eßl. Apfelsinen-
saft · etwas abgeriebene
Apfelsinenschale · Salz ·
¹/₈ Pfund gehacktes
Beefsteak · Pfeffer · etwas
Zwiebel · 1¹/₂ kleine
Kartoffeln

Den Spargel mit etwas Süßstoff erwärmen und warm stellen. Das Eigelb mit Stärkepuder und etwas Spargelwasser verrühren und auf kleiner Flamme schlagen, bis die Soße dicklich wird. Die Butter zugeben, mit Apfelsinensaft, abgeriebener Apfelsinenschale und etwas Salz abschmecken. Die heiße Soße über den Spargel gießen. Das Hack mit Salz, Pfeffer, etwas gehackter Zwiebel würzen und ohne Fett von beiden Seiten braten. Dazu Pellkartoffeln.

Gefüllte Gurke mit Pellkartoffeln

1 mittelgroße Gurke ·
¹/₂ kleine Zwiebel · 1 Teel.
Tomatenmark · 2 EßI.
Buttermilch · Salz ·
Pfeffer · 1 Teel.
Margarine · 100 g
Kalbsbratwurst · 1 EßI.
Parmesankäse (45%
Fett) · Petersilie ·
3 Kartoffeln

Die Gurke schälen, halbieren, von den Kernen befreien und in wenig Wasser mit der gehackten Zwiebel vordämpfen. Den Sud mit Tomatenmark, Buttermilch, Salz und Pfeffer abschmecken. Eine feuerfeste Form mit Margarine ausstreichen, die Soße zugeben, die Gurkenhälften hineinlegen und mit dem Inneren der Wurst füllen. Käse darüberstreuen. Im heißen Ofen ca. 15 Minuten überbacken. Mit Petersilie bestreuen. Dazu Pellkartoffeln.

Fenchel mit Schinken

200 g Fenchel · 100 g ganz
magerer, gekochter
Schinken · 3 EßI. Voll-
milch · 1 EßI. geriebener
Parmesankäse

Die Fenchelblätter entfernen. Nur die zarten, grünen Blätter feinwiegen. Die gewaschene Knolle vierteln und etwa 25 Minuten lang in Salzwasser weich kochen. Die Fettränder vom Schinken abschneiden. Den Schinken würflig schneiden und zusammen mit dem Fenchel in eine kleine feuerfeste Form legen. Die Milch und das gewiegte Fenchelgrün darübergießen. Mit Parmesankäse bestreuen und überbacken.

Gnocchi von Spinat und Quark

Den Spinat auf kleiner Flamme ohne Wasser auftauen lassen. Abgekühlt mit Quark, Ei, Mehl, Salz, Pfeffer und reichlich Muskat vermischen. Kleine Klößchen ausstechen und in siedendes Salzwasser geben. Sobald sie an der Oberfläche schwimmen, mit einem Schaumlöffel herausheben und sofort auf einem vorgewärmten Teller servieren. Mit Käse bestreuen.

150 g tiefgekühlten Spinat · 3 Eßl. Magerquark · 1/2 Ei · 2 Eßl. Mehl · Salz · Pfeffer · Muskat · 2 Eßl. Parmesankäse (45% Fett)

Fenchelgemüse mit Beefsteak

Die Fenchelblätter entfernen, die Knolle gründlich waschen und zusammen mit der Kartoffel in Salzwasser etwa 25 Minuten lang weich kochen. Danach die Fenchelknolle herausheben und in Scheiben schneiden. Die geviertelten Tomaten mit der feingehackten Zwiebel in dem Öl glasig dünsten, die Fenchelscheiben dazulegen und mit etwas Salz und Pfeffer abschmecken. Dazu die Salzkartoffeln und das ohne Fett gebratene, gewürzte Beefsteak.

200 g Fenchel · 1 mittelgroße Kartoffel · 2 mittelgroße Tomaten · ein kleines Stückchen Zwiebel · 1 Eierl. Öl · Salz · Pfeffer · 125 g Beefsteak

Labskaus mit Spiegelei, rote Bete

Die Kartoffel schälen und in wenig Salzwasser weich kochen, mit einer Gabel zerdrücken und mit etwas Kochwasser zu Brei rühren. Die Zwiebel feinhacken und in einer Pfanne in sehr wenig Wasser dünsten. Die Zwiebel und das zerpflückte Corned beef unter den Brei rühren. Mit einem Spiegelei und der kleingeschnittenen Gewürzgurke garnieren. Dazu rote Bete mit einer Marinade aus Essig, Pfeffer und Salz.

1 kleine Kartoffel · 1 kleine Zwiebel · 100 g Corned beef · 1 Ei · 1 kleine Gewürzgurke · 100 g rote Bete · Essig · Pfeffer · Salz

Bauernfrühstück

2 Kartoffeln · ¹/₂ kleine
Zwiebel · 100 g Corned
beef · 1 Ei · Salz ·
Schnittlauch · 1 kleine
saure Gurke

Die Kartoffeln schälen, in dünne Scheiben schneiden
und mit der feingehackten Zwiebel in wenig Wasser in
der Pfanne garen. Corned beef würfeln, dazugeben und
das verquirlte Ei darübergießen. Stocken lassen und
mit Salz und Schnittlauchröllchen würzen. Dazu eine
saure Gurke.

Kümmelkartoffeln
mit Quarkcreme

3 kleine Kartoffeln ·
¹/₂ Teel. Butter · Kümmel ·
5 Eßl. Magerquark · Salz ·
Pfeffer · 150 g Rettich ·
Zitronensaft

Die Kartoffeln schälen und in sehr wenig Salzwasser
garen. In Butter schwenken und mit reichlich Kümmel
bestreuen. Den Quark mit Wasser verrühren, mit Salz
und Pfeffer abschmecken. Den Rettich raffeln und mit
Salz und Zitronensaft würzen.

Radieschen, Quark und Pellkartoffeln

200 g Radieschen · Salz ·
Zitronensaft · Schnitt-
lauch · 20 g Edelpilzkäse
(50 % Fett) · 125 g Magerquark · etwas Wasser ·
3 kleine Kartoffeln

Die Radieschen in feine Scheibchen raspeln und mit
Salz und Zitronensaft abschmecken. Mit reichlich
Schnittlauch bestreuen und auf Salatblättern anrichten.
Den Edelpilzkäse mit einer Gabel zerdrücken und zu-
sammen mit dem Quark und etwas Wasser cremig rüh-
ren. Dazu Pellkartoffeln.

Spargel mit Schinken

Der Spargel wird geschält, gebündelt und in Salzwasser mit 1 Tabl. Süßstoff gar gekocht. Abtropfen lassen und auf eine vorgewärmte Platte geben, Butter darüber und mit gehackter Petersilie garnieren. Dazu Schinken und Pellkartoffeln.

500 g Spargel · Salzwasser · 1 Tabl. Süßstoff · Petersilie · ¹/₂ Teel. Butter · 100 g gekochter Schinken (ohne Fettrand) · 1¹/₂ kleine neue Kartoffeln

Spargel in Rahmsoße

Den Spargel – es kann Bruchspargel sein – schälen und in Salzwasser mit etwas Süßstoff gar kochen. Aus Butter und Mehl eine helle Schwitze bereiten, mit Spargelwasser ablöschen und aufkochen lassen. Die Dosenmilch zugeben, Spargel in die Soße legen. Dazu Lachsschinken und den in Salzwasser weichgekochten Reis.

250 g Spargel · Salzwasser · etwas Süßstoff · 1 Teel. Butter · 1 gestr. Eßl. Mehl · 1 Eßl. Dosenmilch (7,5 % Fett) · ¹/₈ Pfund Lachsschinken (ohne Fettrand) · 1 gehäufter Eßl. Reis

Spargel mit Toast und Tatar

Spargel in Salzwasser mit Süßstoff gar kochen. Heiß mit Ketchup servieren. Dazu Toast mit Butter und Tatar, das mit Salz, Pfeffer, Paprika, Zwiebel, Weinbrand abgeschmeckt wird.

250 g Spargel · Salzwasser · etwas Süßstoff · 4 Eßl. Ketchup · 1 Scheibe Toast · ¹/₂ Teel. Butter · 100 g gehacktes Beefsteak · Salz · Pfeffer · Paprikapuder · etwas Zwiebel · 1 Schuß Weinbrand

Paprika-Tomaten-Gemüse mit Salzkartoffeln

1 Zwiebel · ¹/₂ Teel. Margarine · 1 Paprikaschote · 2 Tomaten · 100 g Lachsschinken ohne Fettrand · gekörnte Brühe · Salz · Pfeffer · 3 kleine Kartoffeln

Die Zwiebel hacken und in der Margarine dünsten. Die Paprikaschote in Streifen und Tomaten in Viertel schneiden. Den gewürfelten Lachsschinken zugeben. Mit einer Tasse Wasser auffüllen und mit gekörnter Brühe, Salz und Pfeffer würzen. Bei kleiner Flamme schmoren lassen. Dazu drei Salzkartoffeln.

Kohlrübeneintopf

¹/₂ kleine Zwiebel · 1 Teel. Öl · 250 g Kohlrüben · 2 mittelgroße Kartoffeln · Salz · Brühwürfel · 100 g Beefsteakhack · Pfeffer · Paprika · Petersilie

Die gehackte Zwiebel in Öl glasig werden lassen und die Rüben- und Kartoffelstückchen zugeben. Mit etwas Wasser auffüllen, mit Salz und Brühwürfel würzen und auf kleiner Flamme garen. Das Hack würzen, zu kleinen Klößchen formen und zusammen mit dem Gemüse garen. Mit Petersilie anrichten.

Kohlrouladen mit Pellkartoffeln

300 g Weißkohl · 100 g Beefsteakhack · Pfeffer · Salz · ¹/₂ kleine Zwiebel · 1 Teel. Öl · Brühwürfel · 3 kleine Kartoffeln

Die großen Weißkohlblätter in kochendheißes Wasser legen. Das gewürzte Hack in die Kohlblätter füllen. Zusammenrollen, mit Faden umwickeln und in Öl anbraten. Mit etwas Wasser auffüllen, Brühwürfel dazugeben. Auf kleiner Flamme kochen. Dazu Pellkartoffeln.

Wirsingeintopf mit Hammelfleisch

250 g Wirsing · 3 mittelgroße Kartoffeln · 1 kleine Zwiebel · 100 g mageres Hammelfleisch · Salz · Kümmel

Wirsingstreifen und Kartoffelscheiben in etwa ¹/₄ Liter Wasser zum Kochen bringen. Die gehackte Zwiebel und das in Würfel geschnittene Fleisch zugeben und garen. Mit Salz und Kümmel abschmecken.

Steak mit Tomate

Das Beefsteakhack mit Salz, weißem Pfeffer, Thymian und Majoran abschmecken und mit dem halben eingeweichten Brötchen zu einem Fleischteig verarbeiten. Die Zwiebel feinhacken, in der heißen Margarine andünsten und unter den Fleischteig kneten. Zwei flache Steaks etwa 5 Minuten braten. Das Ei mit Salz und einem Schuß Selterswasser verquirlen und in einer Pfanne stocken lassen. Die Steaks mit Ei, Kräutern und Tomatenvierteln anrichten.

100 g Beefsteakhack · Salz · weißer Pfeffer · Thymian · Majoran · 1/2 Brötchen · 1/2 Zwiebel · 1 gestr. Teel. Margarine · 1 Ei · Salz · 1 Schuß Selterswasser · frische oder getrocknete Kräuter · 1 mittelgroße Tomate

Leber mit Champignons

Die Leber waschen, abtrocknen und in einer beschichteten Pfanne von beiden Seiten braten. Mit 2 Eßl. Wasser ablöschen. Die Champignons zugeben und einige Minuten durchbrutzeln lassen. Mit Salz und Pfeffer würzen. Tomatenketchup und saure Sahne unterziehen. Den Reis in Salzwasser körnig kochen.

150 g Leber · 100 g Champignons (Dose) · Salz · Pfeffer · 1 Eßl. Tomatenketchup · 1 Eßl. saure Sahne · 1 Eßl. Reis

Leber mit Apfel

Die Leber, den in Streifen geschnittenen Lachsschinken und die Apfelringe in einer beschichteten Pfanne auf beiden Seiten fünf Minuten braten. Mit Wasser ablöschen und mit Salz, Pfeffer und Zitronensaft würzen.

125 g Leber · 2 kleine Scheiben Lachsschinken ohne Fettrand · 1 mittelgroßer Apfel · Salz · Pfeffer · Zitronensaft

Paniertes Bries mit Tomaten

Das Kalbsbries überbrühen, häuten, salzen, pfeffern und mit Zwiebelpulver würzen. Mehrere Male in Dosenmilch und Paniermehl wenden. Fett in der Pfanne erhitzen, das Bries von beiden Seiten braten. Mit Zitronensaft beträufeln. Dazu Tomaten.

150 g Kalbsbries · Salz · Pfeffer · Zwiebelgewürz · 1 Eßl. Dosenmilch (7,5 % Fett) · 1 leicht gehäufter Eßl. Paniermehl · 2 gestr. Teel. Margarine · Zitronensaft · 2 Tomaten

Kalbssteak mit Meerrettichbutter

150 g sehr mageres Kalbssteak · Salz · Pfeffer · Zitronensaft · 2 gestr. Teel. Butter · 1 Teel. geriebener Meerrettich · 150 g Erbsen (Dose) · Streuwürze · Petersilie

Das Steak in einer beschichteten Pfanne von beiden Seiten knusprig braten, salzen und pfeffern. Mit wenig Zitronensaft beträufeln. Butter und Meerrettich vermischen und auf dem Steak anrichten. Die Erbsen erwärmen, mit Streuwürze und feingewiegter Petersilie abschmecken.

Schweinesteak in Weinsoße

150 g Schweinefilet · Salz · weißer und schwarzer Pfeffer · 2 mittelgroße Zwiebeln · 1 mittelgroße Kartoffel · 1 knappe Tasse Weißwein · Salz · Cayennepfeffer

Das Schweinefilet in einer beschichteten Pfanne von beiden Seiten braten, salzen und pfeffern. Die Zwiebeln in Ringe schneiden, die Kartoffel schälen und in Scheiben schneiden. Zwiebelringe und Kartoffelscheiben in einem Tiegel mit dem Wein zehn Minuten bei kleiner Flamme ziehen lassen. Mit Salz und Cayennepfeffer würzen und auf dem Filet anrichten.

Minutenfleisch

150 g sehr mageres Rindfleisch · 1 mittelgroße Zwiebel · 1 gestr. Teel. Margarine · 2 gestr. Teel. Mehl · 2 Teel. Tomatenketchup · 1 mittelgroße Essiggurke · Salz · Pfeffer · Paprikapuder · 1 Eßl. saure Sahne oder Dosenmilch (10 % Fett)

Das Rindfleisch in kleine Würfel schneiden und zusammen mit der gehackten Zwiebel in der Margarine kurz anbraten. Mit Mehl bestäuben, Tomatenketchup zugeben und mit einer Tasse Wasser ablöschen. Die feingewürfelte Essiggurke zufügen. Mit Salz, Pfeffer und Paprikapuder abschmecken. Kurz vor dem Anrichten die saure Sahne oder Dosenmilch unterrühren.

Chinesischer Reis und Kopfsalat

Reis in Salzwasser körnig kochen. Schinken in Streifen schneiden. In der Pfanne anrösten, den Reis darunterziehen und kurz mitbraten. Mit Salz und Curry abschmecken. Kopfsalat mit einer Marinade aus Joghurt, Zitronensaft, Salz, Süßstoff und reichlich gehackten Kräutern zubereiten.

3 knappe EBl. Reis (40 g) · 100 g gekochten Schinken ohne Fettrand · Salz · 1 Teel. Curry · 1 große Portion Kopfsalat · 2 EBl. Magermilch-Joghurt · Zitronensaft · Salz · 1 Tabl. Süßstoff · gehackte Kräuter

Irisches Apfelsteak

Das Beefsteakhack mit dem halben eingeweichten, gut ausgedrückten Brötchen verkneten. Mit Salz, Pfeffer und Curry abschmecken und den geschälten, geriebenen Apfel unterziehen. Zwei flache Steaks formen. Die Margarine in einer beschichteten Pfanne heiß werden lassen und die Steaks von beiden Seiten etwa 5 Minuten braten. Mit Tomatenketchup anrichten.

125 g Beefsteakhack · 1/2 Brötchen · Salz · Pfeffer · Curry · 1 kleiner Apfel · 1 gestr. Teel. Margarine · 1 Teel. Tomatenketchup

Schinken mit Apfelringen

In das Schinkenstück einige Nelken stecken. Den Rotwein in eine kleine Pfanne gießen und den Schinken hineinlegen. Den Apfel schälen, das Kerngehäuse mit einem Apfelausstecher entfernen und den Apfel in Ringe schneiden. Die Kartoffeln kochen und pellen – noch besser, wenn die Pellkartoffeln Restbestände vom Vortag sind. Apfelringe und Kartoffeln zu dem Schinken in den Rotwein geben und bei kleiner Flamme etwa fünf Minuten ziehen lassen. Danach die Nelken entfernen. Den Schinken, die Apfelringe und die Kartoffeln aus der Weinsoße heben und anrichten.

125 g gekochter magerer Schinken · Nelken · 1/8 Liter Rotwein · 1 kleiner Apfel · 2 kleine Kartoffeln

Omelett mit Pfifferlingen

3 Eier · 1 gestr. Eßl.
Mehl · Salz ·
Selterswasser · 125 g
Pfifferlinge (Dose) ·
1 Messerspitze gekörnte
Brühe · Zitronensaft ·
Petersilie · ½ kleine
Paprikaschote

Aus Eiern, Mehl, Salz, Selterswasser einen Teig bereiten und in einer beschichteten Pfanne 2 bis 3 Omeletts
ausbacken. Pfifferlinge aus der Dose in einem Töpfchen erwärmen, mit den angeführten Gewürzen abschmecken und die Omeletts damit füllen. Die Paprikaschote in sehr feine Ringe schneiden und die Omeletts
damit garnieren.

Spiegeleier mit Schinken

4 Scheiben Lachsschinken
ohne Fettrand · 3 kleine
Pellkartoffeln · 2 Eier ·
Salz · Schnittlauchröllchen

Die Schinkenscheiben in eine beschichtete, heiße
Pfanne geben. Die Kartoffeln pellen, in Scheiben
schneiden und an den Rand der Pfanne legen. Die Eier
als Spiegeleier obenaufsetzen. Mit Salz würzen und mit
Schnittlauchröllchen anrichten.

Räucherfischomelett

2 Eier · Selterswasser ·
1 geh. Eßl. Mehl · Salz ·
1 mittelgroße Tomate ·
100 g geräucherter
Seelachs · Petersilie

Die Eier mit Selterswasser, Mehl und Salz verquirlen.
Den Teig in eine heiße, beschichtete Pfanne gießen.
Die Tomate in Scheiben schneiden, den Seelachs in
Stücke zerpflücken und dazugeben. Bei geschlossenem
Deckel das Omelett auf beiden Seiten je drei Minuten
backen. Mit gewiegter Petersilie anrichten.

Schellfisch mit Kräutersoße

Das Schwanzstück säubern, salzen und mit Zitronensaft beträufeln. Mit Öl bestreichen und auf Folie in den vorgeheizten Rost legen. Die gebürsteten Kartoffeln roh mit Schale in Folie einwickeln und danebenlegen. Den Fisch etwa 20 Minuten von beiden Seiten bräunen. Inzwischen die saure Sahne mit Salz, Paprikapuder, einer Spur Knoblauch und den gewiegten Kräutern vermengen. Zu dem Fisch, den gegarten Kartoffeln und Tomatenscheiben anrichten. Die Kartoffeln dürfen mit der Schale gegessen werden!

250 g Schellfisch (Schwanzstück) · Salz · Zitronensaft · 1 Eierl. Öl · 3 kleine Kartoffeln · 3 Eßl. saure Sahne · Salz · Paprikapuder · Knoblauch · gewiegte Kräuter · 1 mittelgroße Tomate

Seelachs in Folie

Das Seelachsfilet waschen, salzen, mit Zitronensaft beträufeln. Ein großes Stück Alufolie mit Öl bestreichen und den Fisch darauflegen. Gewiegte Kräuter und gehackte Zwiebel auf den Fisch legen und die Folie gut verschließen. Die gut gebürsteten Kartoffeln roh mit Schale ebenfalls in Alufolie wickeln. Fisch und Kartoffeln im vorgeheizten Grill oder Backofen etwa 20 Minuten garen. Ketchup mit Sahne oder Dosenmilch verrühren und zusammen mit Butterflöckchen auf den fertigen Fisch geben.

150 g Seelachsfilet · Salz · Zitronensaft · 1 Eierl. Öl · Kräuter · 1 Stückchen Zwiebel · 3 kleine Kartoffeln · 1 Eßl. Tomatenketchup · 1 Teel. saure Sahne oder Dosenmilch (10 % Fett) · 1 gestr. Teel. Butter oder Margarine

Überbackene Bratwurst

Die Bratwurst in einer beschichteten Pfanne oder auf Alufolie auf dem Grillrost ohne Fett bräunen. Käse auf die Wurst legen und schmelzen lassen. Dazu in Salzwasser gekochter Reis und Spargel, der mit etwas Zitronensaft und feingewiegter Petersilie abgeschmeckt wird.

100 g Bratwurst · 1 Scheibe Edamer Käse (20 g, 40 % Fett) · 3 knappe Eßl. Reis · 1 kleine Dose Spargel (85 g) · Zitronensaft · Petersilie

Ragout in Sherrysoße

1 mittelgroße Stange
Porree · 1 gestr. Teel.
Margarine · 125 g
Beefsteakhack · 1 Teel.
Mehl · 2 Eßl. gekochter
Reis · Salz · Muskat ·
1 Messerspitze gekörnte
Brühe · 2 Eßl. Sherry

Den Porree in Ringe schneiden. In der Margarine mit wenig Wasser etwa 5 Minuten dünsten. Das Beefsteakhack zugeben und ständig umrühren. Nach weiteren 5 Minuten Mehl, Reis und 3 Eßl. Wasser zugeben. Mit den Gewürzen abschmecken. Vor dem Anrichten den Sherry zugeben.

Gebackener Leberkäse

1 mittelgroße Kartoffel ·
Salz · Majoran · 62,5 g
(¹/₈ Pfund) Leberkäse ·
1 Eßl. Tomatenketchup ·
3 Eßl. Magerquark ·
1 Teel. Senf · weißer
Pfeffer · Cayennepfeffer ·
Salz

Die Kartoffel schälen, in Scheiben schneiden und in einer beschichteten Pfanne bei kleiner Flamme 5 bis 8 Minuten zugedeckt braten. Mit Salz und Majoran bestreuen und warm stellen. Pfanne säubern und den Leberkäse darin von beiden Seiten braten. Mit 2 Eßl. Wasser ablöschen und mit Tomatenketchup, Quark und Senf sofort verrühren. Vom Herd nehmen und mit den Gewürzen abschmecken.

Käsetomaten

3 kleine Pellkartoffeln ·
4 mittelgroße Tomaten ·
Salz · Thymian ·
4 Scheiben Käse (80 g,
20 % Fett) ·
Rosenpaprikapuder

Kartoffeln pellen, halbieren und in einer beschichteten Pfanne erwärmen. Die unzerteilten Tomaten an der Kuppe einschneiden, mit Salz und etwas Thymian bestreuen und zu den Kartoffeln geben. Zwei Eßl. Wasser zugeben und bei geschlossenem Deckel kurz dünsten. Käse auf die Tomaten legen, Deckel schließen und schmelzen lassen. Mit Paprikapuder bestreuen.

Nudeln mit Schinken

Den Schinken in Streifen schneiden und in einer beschichteten Pfanne kurz anbraten. Die gekochten Nudeln und die gehackte Petersilie zugeben. Gut durchbraten. Mit Salz würzen und mit Tomatenvierteln anrichten.

125 g gekochter magerer Schinken ohne Fettrand · 4 knappe Eßl. gekochte Nudeln · Petersilie · Salz · 2 mittelgroße Tomaten

Schinkenpfanne

Schinken und Paprikaschote in Streifen schneiden. Die Zwiebel hacken, die Tomate halbieren. Alles in einer beschichteten Pfanne kurz anbraten. Zwei Eßl. Wasser zugeben und fünf Minuten auf kleiner Flamme schmoren. Kartoffelscheiben hinzufügen. Mit Salz, Paprikapuder und wenig Cayennepfeffer würzen. Das verquirlte Ei dazugeben, stocken lassen und mit Schnittlauchröllchen anrichten.

100 g gekochter magerer Schinken · ¹/₂ kleine Paprikaschote · 1 Stückchen Zwiebel · 1 mittelgroße Tomate · 3 kleine Pellkartoffeln · Salz · Paprikapuder · Cayennepfeffer · 1 Ei · Schnittlauch

Kalbsschnitzel, mit Spargel überbacken

100 g frischer Spargel ·
1 Teel. Mehl ·
Fleischwürze · Salz ·
Zitronensaft · 100 g
mageres Kalbsschnitzel ·
Salz · Pfeffer · 1 EBl.
Parmesankäse · 2 EBl.
Wasser · 1 EBl. Milch ·
15 g Kartoffelflocken
(Tüte) · Muskat · 1/2 Teel.
Butter

Den Spargel garen. Etwas Spargelwasser mit Mehl andicken, mit Fleischwürze, Salz und Zitronensaft abschmecken. Das Schnitzel fettfrei braten, salzen und pfeffern. Danach in eine feuerfeste Form geben, den Spargel aufhäufen und die Soße löffelweise darübergeben. Mit Parmesankäse bestreuen und im heißen Ofen oder Grill überbacken. Inzwischen bereiten Sie den Kartoffelbrei aus der Tüte: Wasser, Milch, Salz zum Kochen bringen, dann Kartoffelflocken und Muskat einrühren und Butter zugeben.

Überbackener Spinat

1 dünne Scheibe
Weißbrot (20 g) · 1 Eierl.
Öl · 1/8 Pfund Kalbsleber ·
Salz · Pfeffer · 1/4 Pfund
Spinat · Salz · Muskat ·
1 Ei · 1 EBl. Parmesankäse

Das Weißbrot leicht toasten und in eine mit Öl ausgestrichene feuerfeste Form legen. Kalbsleber kurz von beiden Seiten in einer beschichteten Pfanne anbraten, mit wenig Wasser ablöschen und kurz dämpfen. Salzen, pfeffern und auf das Weißbrot legen. Den Spinat mit dem Eigelb mischen, mit Salz und Muskat abschmekken. Das Eiweiß zu Schnee schlagen, den Parmesankäse unterziehen und auf Spinat geben. Den Spinat im heißen Ofen etwa 10 Minuten überbacken.

Spinat-Soufflé

1 Eierl. Öl · 2 mittelgroße
Tomaten · Salz · Thymian ·
1 kleines Paket
tiefgekühlter Spinat
(150 g) · 1 Ei · Salz ·
Zwiebelpulver · 100 g
Beefsteakhack · 1 EBl.
Paniermehl

Eine feuerfeste Form mit dem Öl ausstreichen und mit Tomatenscheiben belegen. Mit Salz und Thymian würzen. Den Spinat auftauen, mit Eidotter, Salz, Zwiebelpulver, Beefsteakhack und Paniermehl vermischen. Eiweiß zu Schnee schlagen und vorsichtig unter die Masse heben. Über die Tomaten geben. Im vorgeheizten Grill oder Backofen etwa 30 Minuten überbacken.

Spinat-Auflauf

Die gekochten Kartoffeln pellen, in Scheiben schneiden und in eine gebutterte Auflaufform legen. Den Spinat dünsten, mit Fleischwürze und Muskat abschmecken und mit möglichst wenig Gemüsewasser über die Kartoffeln schichten. In zwei Vertiefungen je ein Ei schlagen, mit Käse bestreuen und im heißen Ofen 15 Minuten backen.

3 kleine Kartoffeln · $1/2$ Teel. Butter · 150 g frischer Spinat · Fleischwürze · Muskat · 2 Eier · 2 EßI. geriebener Käse (20 % Fett)

Überbackener Spargel

Den geschälten Spargel in Wasser mit einem Teel. Milch, Salz und Süßstoff garen. Danach den Spargel in eine feuerfeste Form geben. Die gekochte, in Scheiben geschnittene Kartoffel und die Tomate an den Rand der Form legen. Das Ei mit einem Teel. Milch und dem geriebenen Käse verquirlen und über den Spargel gießen. Im heißen Ofen ca. 15 Minuten überbacken. Mit Lachsschinken und gehackter Petersilie anrichten.

250 g frischer Spargel · 2 Teel. Milch · Salz · 1 Tabl. Süßstoff · 1 kleine Kartoffel · 1 mittelgroße Tomate · 1 Ei · 2 EßI. geriebener Emmentaler Käse (30 % Fett) · 50 g Lachsschinken ohne Fettrand · Petersilie

---

Pilz-Auflauf

Die Hörnchen in Salzwasser weich kochen. Die geputzten, gewaschenen Pfifferlinge in dem Öl dünsten, mit Salz, Pfeffer, Weißwein und gehackter Petersilie abschmecken. Die Pilze in eine feuerfeste Form füllen, die Hörnchen dazugeben. Das Ei mit Buttermilch verquirlen und darübergießen. Mit Parmesankäse bestreuen und im heißen Ofen ca. 15 Minuten überbacken. Dazu grüner Salat mit einer Marinade aus Buttermilch, Salz, Zitronensaft und feingewiegten Kräutern.

2 EßI. Hörnchen · Salzwasser · 250 g Pfifferlinge · 1 Eierl. Öl · Salz · Pfeffer · 1 Schuß Weißwein · Petersilie · 1 Ei · 2 EßI. Buttermilch · 10 g Parmesankäse · 1 Teller grüner Salat · 2 EßI. Buttermilch · Salz · Zitronensaft · gehackte Kräuter (Schnittlauch, Dill oder Petersilie)

Lachsschinken-Auflauf

1 Eierl. Öl ·
100 g Rosenkohl · Salz ·
Zwiebelgewürz · Muskat ·
1 mittelgroße Kartoffel ·
8 Scheiben Lachs-
schinken ohne Fettrand
(100 g) · 2 Eßl. geriebener
Käse (20 % Fett)

Eine feuerfeste Form mit Öl ausstreichen, die geputzten Rosenkohlröschen hineingeben, mit Salz, Zwiebelgewürz und etwas Muskat bestreuen. Kartoffel schälen
und in Scheiben schneiden, dazugeben. Mit 2 Eßl. Wasser auffüllen und alles bei kleiner Flamme etwa 15 Minuten dünsten. Lachsschinkenstreifen darüberlegen,
mit Käse bestreuen. Bei geschlossenem Deckel nochmals 5 Minuten überbacken.

Tomaten-Auflauf

4 mittelgroße Tomaten ·
Salz · Thymian · 1 Eierl.
Öl · 1/2 altes Brötchen ·
1 gestr. Teel. Butter ·
100 g Beefsteakhack ·
Zwiebel · Salz · Pfeffer ·
Streuwürze · 1 Scheibe
Schnittkäse (20 g, 20 %
Fett) · Schnittlauch

Die Tomaten überbrühen, pellen und in Scheiben
schneiden. Mit Salz und Thymian würzen und in eine
mit dem Öl ausgestrichene feuerfeste Form legen. Das
halbe Brötchen in dünne Scheiben schneiden, buttern
und auf die Tomaten geben. Beefsteakhack mit gehackter Zwiebel, Salz, Pfeffer und Streuwürze vermischen
und auf dem Brot verteilen. Im Grill oder Backofen etwa
20 Minuten überbacken. Dann die Scheibe Käse darauflegen. Kurz in den Ofen schieben, bis der Käse geschmolzen ist. Mit Schnittlauchröllchen anrichten.

Porree-Auflauf

200 g Porree ·
Salzwasser · 1/2 Teel.
Butter · 1 Teel. Mehl ·
Muskat · 1/8 Pfd.
gekochter magerer
Schinken · 1 kleine Pell-
kartoffel · 20 g geriebener
Gouda (45 % Fett)

Den geputzten Porree in etwas Salzwasser fast gar kochen und abtropfen lassen. Aus der Butter und dem
Mehl eine helle Schwitze bereiten, mit Gemüsewasser
ablöschen und aufkochen lassen. Mit Muskat würzen.
Die Porreestangen in Schinken einrollen und in eine
feuerfeste Form geben. Die Kartoffel pellen, in Scheiben schneiden und dazugeben. Die Soße darübergießen; alles mit dem Käse bestreuen. Im Ofen ca.
15 Minuten überbacken.

Sauerkraut-Auflauf

Eine feuerfeste Form mit Öl ausstreichen. Schichtweise Sauerkraut, Beefsteakhack und die geschälte, in dünne Scheiben geschnittene Kartoffel hineinlegen. Mit Salz, Pfeffer, Paprikapuder und Zwiebelpulver würzen und den mit einer Gabel verquirlten Joghurt darübergießen. Mit Butterflöckchen bestreuen und etwa 30 Minuten im vorgeheizten Grill oder Backofen überbacken.

1 Eierl. Öl · 150 g Sauerkraut · 125 g Beefsteakhack · 1 mittelgroße Kartoffel · Salz · weißer und schwarzer Pfeffer · Paprikapuder · Zwiebelpulver · 1/3 Becher Magermilch-Joghurt · 1 gestr. Teel. Butter

Kartoffel-Auflauf

Die Kartoffeln kochen und in Scheiben schneiden. Den Lachsschinken in feine Streifen schneiden und mit der gehackten Zwiebel in dem Öl anbraten. Kartoffeln und Schinken in eine feuerfeste Form geben. Den Quark mit etwas Wasser und dem Ei verrühren, mit Salz und Paprikapuder abschmecken und darübergeben. Mit Schnittlauch bestreuen und im heißen Ofen ca. 35 Minuten überbacken. Dazu Kopfsalat mit einer Marinade aus Zitronensaft und Selleriesalz.

4 kleine Kartoffeln · 1/8 Pfund Lachsschinken · 1/2 kleine Zwiebel · 1 Eierl. Öl · 2 Eßl. Magerquark · 1/2 Ei · Salz · Paprikapuder · Schnittlauch · 1 Teller Kopfsalat · Zitrone · Selleriesalz

Rosenkohl-Auflauf

Die Kartoffeln schälen, kochen und mit etwas Wasser zu einem Brei schlagen, mit Muskat würzen. Den geputzten Rosenkohl in Salzwasser fast gar kochen und mit dem Kartoffelbrei vermischen. In eine mit Öl bestrichene Auflaufform geben. Das Beefsteakhack mit der gehackten Zwiebel kurz rösten, mit Salz und Pfeffer würzen, gleichmäßig über dem Rosenkohl und dem Kartoffelbrei verteilen und mit dem geriebenen Käse bestreuen. Im Ofen ca. 15 Minuten überbacken.

2 kleine Kartoffeln · Muskat · 200 g Rosenkohl · Salzwasser · 1 Eierl. Öl · 1/8 Pfund Beefsteakhack · 1/2 kleine Zwiebel · Salz · Pfeffer · 1 gehäufter Eßl. geriebener Holländer Käse (45 % Fett)

Gurken-Auflauf

1 mittelgroße grüne
Gurke · 1 kleine Kartoffel ·
½ Teel. Margarine ·
2 Eßl. Magerquark · 1 Ei ·
Zitronensaft · Zitronen-
schale · Salz · Dill ·
Borretsch · 20 g Käse
(30 % Fett)

Die Gurke schälen und in etwa 2 cm große Stücke schneiden. Zusammen mit der geschälten, in dünne Scheiben geschnittenen Kartoffel in eine feuerfeste Form füllen. Margarine, Quark und Eigelb miteinander verrühren, etwas Zitronensaft und abgeriebene Zitronenschale, Salz, reichlich gehackten Dill und Borretsch zugeben. Das Eiweiß zu Schnee schlagen und darunterziehen. Über die Gurken gießen, mit dem geriebenen Käse bestreuen und den Auflauf 20 Minuten im heißen Ofen oder Grill überbacken.

Blumenkohl-Auflauf

200 g Blumenkohl ·
Salzwasser · 100 g
ungebrühte Kalbs-
bratwurst · 2 gestr. Eßl.
Reis · ½ Ecke Schmelz-
käse (20 % Fett)

Den Blumenkohl in Salzwasser fast gar kochen. Die Bratwurstfüllung in einer feuerfesten Form verteilen, die Blumenkohlröschen und den zuvor in Salzwasser weichgekochten Reis dazugeben. Den Käse mit etwas Wasser und einem Schneebesen oder elektrischem Quirl zu einer Creme rühren und darübergießen. Etwa 15 Minuten im heißen Ofen überbacken.

Gemüse-Reis-Auflauf

1 kleines Paket
tiefgekühltes Suppen-
gemüse (80 g) · 1 Eßl.
Reis · gekörnte Brühe ·
Salz · 100 g gekochter
magerer Schinken ·
1 Messerspitze Butter
oder Margarine ·
1 Scheibe Schnittkäse
(20 g, 20 % Fett)

Das Suppengemüse zusammen mit dem rohen Reis und einer Tasse Wasser in eine feuerfeste Form geben und etwa 20 Minuten in den vorgeheizten Grill oder Backofen stellen. Wenn die Flüssigkeit eingekocht ist, zwischendurch etwas Wasser nachfüllen. Mit etwas gekörnter Brühe und Salz abschmecken. Den in Streifen geschnittenen Schinken und Butter dazugeben und die Scheibe Käse obenauflegen. Nochmals 10 Minuten überbacken.

Tomaten-Käse-Fisch

Das Fischfilet waschen, salzen, mit Streuwürze und Zitronensaft einreiben und in eine feuerfeste Form legen. Butter und Sardellenpaste vermengen und auf das Fischfilet streichen. Tomaten in Scheiben schneiden und darauflegen, mit Salz und mit Zwiebelgewürz bestreuen. Kartoffel schälen, in Scheiben schneiden und an den Rand legen. Im vorgeheizten Grill oder Backofen etwa 20 Minuten backen. Dann die Käsescheibe über den Fisch legen. Gericht nochmals in den Ofen schieben, bis der Käse geschmolzen ist.

150 g Kabeljaufilet · Salz · Streuwürze · Zitronensaft · 2 gestr. Teel. Butter · 1/2 Teel. Sardellenpaste · 2 mittelgroße Tomaten · Zwiebelgewürz · 1 mittelgroße Kartoffel · 1 Scheibe Schnittkäse (20 g, 20 % Fett)

Kabeljaufilet

Das Fischfilet waschen, in 2 bis 3 Stücke schneiden und mit Salz, Streuwürze und Zitronensaft einreiben. Eine feuerfeste Form mit Öl ausstreichen und die Fischstücke hineinlegen. Den streifig geschnittenen Schinken, einige Zwiebelringe und die Champignons auf den Fisch geben. Kartoffeln pellen, in feine Scheiben schneiden und an den Rand legen. Käsescheibe obenauflegen. Gericht im vorgeheizten Grill oder Backofen etwa 15 Minuten überbacken. Das Tomatenmark mit dem Fischsud verrühren und den Auflauf mit feingewiegter Petersilie anrichten.

100 g Kabeljaufilet · Salz · Streuwürze · Zitronensaft · 1 Eierl. Öl · 30 g gekochter magerer Schinken · Zwiebelringe · 100 g Champignons (Dose) · 3 kleine Pellkartoffeln · 1 Scheibe Käse (20 g, 30 % Fett) · 1 Teel. Tomatenmark · Petersilie

Schellfisch mit Äpfeln

150 g Schellfischfilet ·
Salz · Streuwürze ·
Zwiebelgewürz ·
Zitronensaft · Majoran ·
1 kleiner Apfel ·
1 mittelgroße Kartoffel ·
2 gestr. Teel. Butter

Fischfilet waschen und mit Salz, Streuwürze und etwas Zwiebelgewürz einreiben. Mit reichlich Zitronensaft beträufeln und mit Majoran bestreuen. In eine feuerfeste Form legen. Den Apfel schälen und in kleine Würfel schneiden. Kartoffel schälen und in Scheiben schneiden. Apfel und Kartoffel in die Auflaufform geben. Mit Butterflöckchen bestreuen und im heißen Grill oder Backofen etwa 20 Minuten überbacken.

Makkaroni-Auflauf

1/8 Pfund gekochter
magerer Schinken ·
2 Tomaten · 2 Eßl.
Makkaroni · Salzwasser ·
1/2 Ei · Salz · Muskat ·
Petersilie · 1 Eßl.
Parmesankäse

Den in Stücke geschnittenen Schinken und die kleingeschnittenen Tomaten in eine feuerfeste Form geben. Die Makkaroni in Salzwasser gar kochen, abtropfen lassen und zu den Tomaten und dem Schinken geben. Das halbe Ei mit etwas Wasser, Salz, Muskat und gehackter Petersilie gut verquirlen und darübergießen. Mit Käse bestreuen und dann etwa 15 Minuten im heißen Ofen goldbraun überbacken.

Schinken-Auflauf

62,5 g (1/8 Pfund)
gekochter, sehr magerer
Schinken · 2 mittelgroße
Tomaten · 1 mittelgroße
Pellkartoffel · 1 Ei · 1 Eßl.
Bier · Salz ·
Paprikapuder · 1 Eßl.
Parmesankäse · Petersilie

Schinken würfeln und in eine feuerfeste Form legen. Tomaten und die gepellte Kartoffel in Scheiben schneiden und dazulegen. Das Ei mit dem Bier, Salz und Paprikapuder verquirlen und darübergießen. Im vorgeheizten Grill oder Backofen etwa 15 Minuten überbacken. Mit Parmesankäse und feingewiegter Petersilie anrichten.

Fleischtoast

100 g sehr mageres
Kalbfleisch · Zwiebel ·
1 gestr. Teel. Margarine ·
Salz · weißer Pfeffer ·
Cayennepfeffer ·
1 Scheibe Toastbrot ·
1 kleine Ecke Schmelz-
käse halbfett (47,5 g) ·
1 Schuß Kirschwasser

Kalbfleischstreifen und etwas gehackte Zwiebel in der
Margarine leicht anrösten. Mit 1 Eßl. Wasser ablöschen
und mit Salz, Pfeffer und etwas Cayennepfeffer abschmecken. Das Fleisch auf das leicht geröstete Toastbrot legen. Käse in einem Töpfchen bei kleiner Flamme
zum Schmelzen bringen. Kirschwasser unterrühren und
die Käsecreme auf das Fleisch geben. Im vorgeheizten
Grill oder Backofen etwa 5 Minuten überbacken.

Tatar-Schinken-Toast

25 g Lachsschinken ohne
Fettrand · 1 Eierl. Öl ·
1/2 kleine Zwiebel ·
1/8 Pfund Beefsteakhack ·
Salz · Pfeffer · 1 Scheibe
Weißbrot · 1 Eßl.
Schaschliksoße · 1 Eßl.
geriebener Emmentaler
Käse (45 % Fett) ·
Paprikapuder

Den Lachsschinken in feine Streifen schneiden und in
Öl mit gehackter Zwiebel und dem Beefsteakhack kurz
rösten. Das Weißbrot leicht toasten, mit der Schaschliksoße bestreichen, mit dem Fleisch belegen und den
Käse darüberstreuen. Im Ofen überbacken, bis der
Käse geschmolzen ist, und mit Paprikapuder bestreuen.

Spargeltoast

1/8 Pfund Kalbsfilet ·
Salz · Pfeffer · 100 g
Spargel (Dose) · 1/2 Teel.
Butter · 1 Teel. Mehl ·
Muskat · 1 Eigelb ·
1 knapper Eßl. geriebener
Parmesankäse · 1 Scheibe
Weißbrot

Kalbsfilet salzen, pfeffern und von beiden Seiten ohne
Fett braten. Den Spargel abtropfen lassen. Aus Butter
und Mehl eine helle Schwitze bereiten, mit etwas Spargelwasser ablöschen, die Soße mit Salz und Muskat
abschmecken und mit dem Eigelb legieren. Den Parmesankäse unter die Soße rühren. Das Weißbrot auf einer
Seite rösten. Auf die ungeröstete Seite das Kalbsfilet
und den Spargel geben und mit der Soße übergießen.
Im heißen Ofen überbacken.

Schlemmertoast

¹/₈ Pfund Rinderfilet ·
2 Eierl. Öl · Salz · Pfeffer ·
1 Scheibe Weißbrot ·
1 Schuß Weißwein · 1 Eßl.
Tomatenpaprika ·
1 Scheibe Emmentaler
Käse (30 % Fett)

Das Rinderfilet in Öl von beiden Seiten braten, salzen und pfeffern. Das Weißbrot auf einer Seite rösten, die ungeröstete Seite mit Wein beträufeln, das gebratene Filet darauflegen. Darüber Tomatenpaprika und Käse geben. Im heißen Ofen überbacken, bis die Käsescheibe geschmolzen ist, und sofort servieren.

Schinkentoast

1 Scheibe Toastbrot ·
¹/₂ Teel. Butter · 50 g
gekochter magerer
Schinken · 1 Scheibe
Edamer Käse (30 g, 30 %
Fett) · 2 Tomaten ·
Petersilie

Das Weißbrot auf beiden Seiten leicht rösten, mit Butter bestreichen, mit Schinken und der Scheibe Käse belegen und im heißen Ofen überbacken, bis der Käse geschmolzen ist. Die Tomaten vierteln, mit feingehackter Petersilie bestreuen und zu dem heißen Toast servieren.

Toast Hawaii

1 Scheibe Toastbrot ·
¹/₂ Scheibe Ananas
(Dose) · 62,5 g (¹/₈ Pfund)
gekochter Schinken ·
2 Scheiben Schnittkäse
(40 g, 30 % Fett)

Das Toastbrot auf beiden Seiten leicht rösten. Ananasstücke auf dem Brot verteilen. Darüber Schinken- und Käsescheiben legen. Im vorgeheizten Grill oder Backofen etwa 5 Minuten überbacken, bis der Käse geschmolzen ist.

Bananentoast

Das Toastbrot auf beiden Seiten leicht rösten, mit der Banane, die in dicke Scheiben geschnitten wird, mit dem Schinken und dem Käse belegen. Im vorgeheizten Grill oder Backofen etwa 5 Minuten überbacken.

1 Scheibe Toastbrot · ¹/₂ kleine Banane · 62,5 g (¹/₈ Pfund) gekochter magerer Schinken · 2 Scheiben Schnittkäse (40 g, 30 % Fett) · Petersilie

Birnentoast

Das Toastbrot von beiden Seiten leicht rösten und die der Länge nach durchgeschnittene Birnenhälfte darauflegen. Mit Schinken und Käse belegen und im vorgeheizten Grill oder Backofen etwa 5 Minuten überbakken.

1 Scheibe Toastbrot · ¹/₂ Birne (Dose) oder ¹/₂ frische Birne · 62,5 g (¹/₈ Pfund) gekochter magerer Schinken · 2 Scheiben Schnittkäse (40 g, 30 % Fett)

Lebertoast

Toastbrot rösten und mit Tomatenketchup bestreichen. Leber in Scheiben schneiden und mit gehackter Zwiebel in einer beschichteten Pfanne kurz rösten. Mit 1 Eßl. Wasser und Tomatenketchup ablöschen. Kurz durchbrutzeln lassen und mit Salz, Pfeffer und Paprikapuder abschmecken. Die geröstete Leber auf den Toast häufen, mit Käse belegen und im vorgeheizten Grill oder Backofen 5 Minuten überbacken.

1 Scheibe Toastbrot · 2 Teel. Tomatenketchup · 100 g Leber · Zwiebel · Salz · Pfeffer · Paprikapuder · 1¹/₂ Scheiben Schnittkäse (30 g, 30 % Fett)

Champignontoast

100 g Champignons ·
2 Eierl. Öl · 1 Teel. Mehl ·
Salz · Pfeffer · etwas
Zitronensaft · Petersilie ·
1 Scheibe Toastbrot ·
¹/₂ Teel. Butter · 1 Eßl.
Ketchup · 1 Scheibe
Edamer Käse (30 %
Fett) · einige Salatblätter

Die Champignons putzen und blättrig schneiden, in Öl dünsten, mit wenig Wasser ablöschen. Die Soße mit Mehl binden, mit Salz, Pfeffer, Zitronensaft und reichlich gehackter Petersilie würzen. Die Scheibe Toastbrot von beiden Seiten leicht rösten, mit Butter bestreichen und die Champignons aufhäufen. Darüber Ketchup geben und die Scheibe Käse darauflegen. Im heißen Ofen überbacken, bis der Käse geschmolzen ist. Auf Salatblättern servieren.

Frankfurter Toast

1 Scheibe Toastbrot ·
1 Teel. Senf · 100 g
Kalbsbratwurst · 1 kleine
Essiggurke · Zwiebel ·
1¹/₂ Scheiben Schnittkäse
(30 g, 30 % Fett) ·
1 mittelgroße Tomate ·
Petersilie

Toastbrot von beiden Seiten leicht rösten und mit Senf bestreichen. Bratwurstbrät aus der Pelle drücken und auf die geröstete Schnitte geben. Gurke und etwas Zwiebel feinhacken und auf dem Toast verteilen. Darüber den Käse legen. Im vorgeheizten Grill oder Backofen etwa 10 Minuten überbacken. Mit Tomate und Petersilie anrichten.

Wursttoast

1 Scheibe Toastbrot ·
1 Eßl. Magerquark ·
1 Teel. Senf · Salz ·
Zwiebelgewürz ·
1 mittelgroße Tomate ·
Salz · Thymian · 40 g
Fleischwurst · 2 Scheiben
Schnittkäse (40 g, 30 %
Fett)

Toastbrot von beiden Seiten leicht rösten. Quark mit Senf verrühren und mit Salz und etwas Zwiebelgewürz abschmecken. Auf das Brot streichen. Die Tomate in Scheiben schneiden, auf den Quark legen und mit Salz und einer Spur Thymian würzen. Die in Scheiben geschnittene Fleischwurst und die Käsescheiben daraufgeben. Im vorgeheizten Ofen oder Grill etwa 10 Minuten überbacken.

Käsecremetoast

Toastbrot von beiden Seiten leicht rösten und mit Tomatenscheiben und Lachsschinken belegen. Joghurt mit Eidotter und geriebenem Käse kräftig verquirlen, mit Salz, Paprikapuder und Muskat abschmecken und das zu Schnee geschlagene Eiweiß darunterheben. Diese Creme auf den Toast streichen. Im vorgeheizten Grill oder Backofen überbacken, bis die Creme goldgelb ist.

1 Scheibe Toastbrot · 1 mittelgroße Tomate · 2 Scheiben Lachsschinken ohne Fettrand (25 g) · 1 Eßl. Magermilch-Joghurt · 1 Ei · 1 geh. Eßl. geriebener Schnittkäse (30 g, 30 % Fett) · Salz · Paprikapuder · Muskat

Toast Tatar

Toastbrot von beiden Seiten leicht rösten. Mit Tomatenketchup bestreichen. Beefsteakhack mit etwas gewiegter Zwiebel und Gewürzen mischen und auf das geröstete Brot geben. Im vorgeheizten Grill oder Backofen etwa 5 Minuten backen. Darauf den Käse legen und nochmals überbacken, bis der Käse geschmolzen ist.

1 Scheibe Toastbrot · 1 Teel. Tomatenketchup · 100 g Beefsteakhack · Zwiebel · Salz · Pfeffer · Cayennepfeffer · Paprikapuder · Worcestersoße · 1¹/₂ Scheiben Schnittkäse (30 g, 30 % Fett)

Büsumer Krabben

1 Scheibe Toastbrot ·
3 Teel. Tomatenketchup ·
100 g Krabben · 1 EßI.
saure Sahne oder Dosen-
milch (10 % Fett) · Salz ·
weißer Pfeffer ·
1¹/₂ Scheiben Schnittkäse
(30 g, 30 % Fett)

Toastbrot von beiden Seiten leicht rösten. Mit 1 Teel.
Tomatenketchup bestreichen. Die Krabben mit 2 Teel.
Tomatenketchup, saurer Sahne oder Dosenmilch, Salz
und Pfeffer mischen und auf den Toast häufen. Darüber
den Käse legen. Im vorgeheizten Grill oder Backofen
5 bis 10 Minuten überbacken.

Sardinentoast

1 Scheibe Weißbrot ·
1 Schuß Weißwein · 1 EßI.
Ketchup · 50 g Öl-
sardinen · 1 Tomate ·
20 g geriebener
Emmentaler Käse (45 %
Fett) · Salatblätter

Das Weißbrot auf einer Seite rösten. Die ungeröstete
Seite mit Weißwein beträufeln, mit Ketchup bestreichen und die Ölsardinen und die in Scheiben geschnittene Tomate darauflegen. Mit dem geriebenen Käse
bestreuen und im heißen Ofen überbacken, bis der
Käse geschmolzen ist. Auf Salatblättern servieren.

Weiße Bohnensuppe

Die gewaschenen Bohnen über Nacht einweichen. Im Einweichwasser etwa 1¹/₂ Stunden kochen (im Schnellkochtopf nur 25 Minuten). Danach das in Streifen geschnittene Stück Porree dazugeben und ¹/₂ Stunde weiterkochen lassen. Dann die Bohnen durch ein Sieb streichen. Die Margarine in einem Töpfchen zergehen lassen, darin den in Streifen geschnittenen Lachsschinken kurz anrösten. Das Tomatenmark unterrühren und mit der Bohnensuppe ablöschen. Mit Salz, Zwiebelgewürz und gekörnter Brühe abschmecken.

50 g weiße Bohnen · 1 Stückchen Porree (50 g) · 1 gestr. Teel. Margarine · ¹/₈ Pfund Lachsschinken · 1 Teel. Tomatenmark · Salz · Zwiebelgewürz · 1 Messerspitze gekörnte Brühe

Fischsuppe

Die gewaschenen Fischköpfe mit Salz, Pfefferkörnern, dem Lorbeerblatt und Petersilie bei kleiner Flamme in Wasser kochen. Die kleingeschnittene Mohrrübe, die Tomate, Sellerie, Porree und die gehackte Zwiebel in Öl andünsten, den in Stücke geschnittenen Fisch dazugeben und gar ziehen lassen. Die Brühe durchseihen, das zerkleinerte Suppengemüse und das von Gräten befreite Fischfleisch in die Brühe geben und mit Salz, Pfeffer und Bouillonwürfel pikant abschmecken. Dazu zwei Kräcker.

Einige Fischköpfe · Salz · einige Pfefferkörner · 1 Lorbeerblatt · Petersilie · 1 Mohrrübe · 1 Tomate · 1 Stückchen Sellerie · 1 kleine Stange Porree · ¹/₂ kleine Zwiebel · 1 EßI. Öl · 250 g Kabeljau (140 g Fischfleisch) · Pfeffer · etwas Bouillonwürfel · 2 Kräcker

Linsensuppe mit Würstchen

Die Linsen über Nacht in ¹/₂ Liter Wasser einweichen. Im Einweichwasser zusammen mit der gehackten Zwiebel, der Sellerie und der Mohrrübe gar kochen, mit Salz, Fleischwürze und etwas Essig abschmecken und das Würstchen in der Suppe heiß machen.

45 g Linsen · ¹/₂ kleine Zwiebel · 1 Stückchen Sellerie · 1 kleine Mohrrübe · Salz · Fleischwürze · Essig · 1 Knackwurst (80 g)

Fleischklößchensuppe

1 Bouillonwürfel · ⅛ Pfund
Beefsteakhack · 1 Ei ·
etwas Zwiebel · 1 Teel.
Semmelbrösel · Salz ·
Muskat · Petersilie ·
1 Brötchen

Aus Wasser und dem Bouillonwürfel eine Brühe bereiten. Aus dem Beefsteakhack, dem Ei, der gehackten Zwiebel, Semmelbröseln, Salz und Muskat einen Fleischteig kneten und daraus kleine Klößchen mit einem Durchmesser von etwa zwei Zentimetern formen. In der Brühe fünf Minuten gar ziehen lassen. Eine Handvoll Petersilie waschen und mit einem Wiegemesser feinhacken. Wenn Sie keine frische Petersilie haben, können Sie auch getrocknete nehmen. Dazu ein Brötchen.

Leberspätzlesuppe

1 Bouillonwürfel · ⅛ Pfund
Rinderleber · ½ kleine
Zwiebel · Petersilie ·
½ Teel. Margarine · ½ Ei ·
4 gestr. Eßl.
Semmelbrösel ·
Salz · Majoran ·
abgeriebene Zitronen-
schale

Aus Wasser und dem Bouillonwürfel eine Brühe bereiten. Leber häuten und durch den Fleischwolf drehen. Die Zwiebel und Petersilie feinhacken, in der Margarine andünsten und unter die Leber mischen. Ei und Semmelbrösel dazugeben und mit Salz, Majoran und abgeriebener Zitronenschale abschmecken. Den Teig durch ein Spätzlesieb in die siedende Brühe drücken. Erst wenn die Spätzle oben schwimmen, ist die Suppe fertig.

Hühnercremesuppe

¼ Pfund mageres
Suppenhuhn (mit
Knochen gewogen) ·
1 Mohrrübe · Petersilie ·
1 Teel. Butter · 1 gestr.
Eßl. Mehl · Salz ·
Muskat · 1 Schuß
Weißwein · 1 Eigelb

Das Hühnerfleisch mit der Mohrrübe und Petersilie in Salzwasser weich kochen. Die Butter zerlassen, das Mehl unter Rühren zugeben und hellgelb werden lassen. Löffel für Löffel mit Hühnerbrühe auffüllen. Das vom Knochen gelöste, in kleine Stücke geschnittene Hühnerfleisch in die Suppe geben und mit Salz, Muskat und einem Schuß Weißwein abschmecken. Mit dem Eigelb die Suppe legieren.

Gulaschsuppe

Das Fleisch in kleine Würfel schneiden und mit den gehackten Zwiebeln in dem heißen Öl bräunen. Tomatenmark, Salz, Pfeffer, Paprikapuder, Bouillonwürfel zufügen und kurz mitrösten. Mit Wasser ablöschen und
bei milder Hitze kochen lassen. Mit in Wasser ange-
rührtem Mehl andicken und mit einem Schuß Rotwein
abschmecken. Dazu eine dünne Scheibe Weißbrot.

**¹/₈ Pfund mageres
Rindfleisch · 2 kleine
Zwiebeln · 1 EßI. Öl ·
1 Teel. Tomatenmark ·
Salz · Pfeffer · Paprika-
puder · etwas Bouillon-
würfel · 1 gestr. EßI. Mehl ·
1 Schuß Rotwein · 1 dünne
Scheibe Weißbrot**

Blumenkohlsuppe mit Schinken

Blumenkohl in Salzwasser nicht zu weich kochen. Die
Butter zerlassen und das Mehl unter Rühren hellgelb
werden lassen. Das Gemüsewasser nach und nach zugeben und bei kleiner Flamme kochen. Den Schinken
in kleine Stücke schneiden und in die Suppe geben.
Mit Salz, etwas Fleischwürze und Muskat abschmecken
und kurz vor dem Anrichten den mit dem Ei verquirlten
Joghurt unterziehen. Mit Petersilie bestreuen.

**¹/₂ kleiner Blumenkohl ·
1 Teel. Butter · 1 gestr.
EßI. Mehl · 50 g magerer
gekochter Schinken · Salz ·
Fleischwürze · Muskat ·
1 Eigelb · 3 EßI. Mager-
milch-Joghurt · Petersilie**

Flambierte Banane mit Quarkcreme

Quarkcreme: 125 g Magerquark · Vanillemark · Süßstoff · 1 Eiweiß
Banane: 1 Messerspitze Butter · 1 große Banane (150 g) · Zitronensaft · 1 Teel. Puderzucker (5 g) · 2 knappe Eßl. Rum

Quarkcreme: Quark mit etwas Wasser verrühren, mit Vanillemark würzen und mit Süßstoff süßen. Das Eiweiß sehr steif schlagen und unter die Creme heben.
Banane: Eine Pfanne mit Butter ausstreichen und die geschälte Banane hineinlegen. Mit Zitronensaft beträufeln, mit Puderzucker bestäuben und goldgelb backen. Mit dem Rum begießen, anzünden und sofort zusammen mit der Quarkcreme auftragen.

Palatschinken mit Quarkfüllung

1 Eigelb · 2 Eßl. Mehl · Salz · 4 Eßl. Wasser · 100 g Magerquark · 2 bis 3 Eßl. Wasser · Süßstoff · Vanillemark · abgeriebene Zitronenschale · Zitronensaft · 1 Teel. Rosinen

Eidotter mit Mehl und Salz verrühren und langsam das Wasser hinzugeben. Den Teig eine Weile ruhen lassen. Inzwischen den Quark mit 2 bis 3 Eßl. Wasser cremig schlagen. Süßstoff, Vanillemark, abgeriebene Zitronenschale, Zitronensaft, Rosinen und das steifgeschlagene Eiweiß darunterheben. Dünne, hellgelbe Palatschinken ausbacken, mit der Quarkfüllung bestreichen und aufrollen. Warm stellen.

Apfel-Quark-Auflauf

Apfel schälen, entkernen und in Scheiben schneiden. In eine mit Öl ausgestrichene feuerfeste Form legen. Mit Zitronensaft und etwas Zimt würzen. Quark mit ein paar Tropfen Wasser cremig rühren und die aufgelösten Süßstofftabletten unterziehen. Ei und Kartoffelstärkemehl kräftig mixen, unter den Quark rühren. Den Quark über die Apfelstücke gießen. Im vorgeheizten Grill oder Backofen etwa 30 Minuten überbacken.

1 kleiner Apfel · 1 Eierl. Öl · Zitronensaft · Zimt · 125 g Magerquark · 3 Tabl. Süßstoff · 1 Ei · 3 gestr. Teel. Kartoffelstärkemehl

Bratäpfel

Das Gehäuse der Äpfel ausstechen. Mit der Marmeladen-Nuß-Masse füllen und etwa 30 Minuten bei 175 Grad in der Röhre backen. Dazu ein Achtel Weißwein, den man mit Selterswasser verlängern kann.

2 kleine Äpfel (Cox Orange) · 1 gehäufter Teel. Marmelade · 1 gehäufter Teel. gehackte Nüsse · 1/8 Liter Weißwein

Grießbrei mit Zimt

Die gesüßte Milch zum Kochen bringen und den Grieß unter Rühren dazuschütten. Bei schwacher Hitze ausquellen lassen. Die Butter zugeben und den Grießbrei mit Zimt bestreuen.

Süßstoff · 1/4 Liter Milch · 3 knapp gestr. Eßl. Weizengrieß · 1/2 Teel. Butter · Zimt

Kirschauflauf

Das halbe Brötchen in der Milch einweichen. Eigelb, zerlassene Butter, Süßstoff und etwas abgeriebene Zitronenschale darunterrühren. Den steifgeschlagenen Eischnee und die entsteinten Kirschen unterziehen. 20 Minuten überbacken.

1/2 Brötchen · 3 Eßl. Milch · 1 Ei · 1 Teel. Butter · Süßstoff · abgeriebene Zitronenschale · 100 g Kirschen

Quarkauflauf mit Aprikosen

1 Ei · Süßstoff · abgerie-
bene Zitronenschale ·
125 g Magerquark · 1 Eßl.
Wasser · 1 knapper Eßl.
Stärkepuder · 100 g
Aprikosen (aus der Dose)

Das Eigelb mit Süßstoff und der abgeriebenen Zitronenschale verrühren. Quark, Wasser und Stärkepuder
zugeben. Zuletzt den steifgeschlagenen Eischnee und
die Aprikosen unterziehen. 30 Minuten überbacken.

Apfelauflauf

1¹/₂ Zwieback · 3 Eßl.
Milch · 1 Teel. Butter ·
1 Ei · Süßstoff · Zimt ·
1 kleiner Apfel

Zwieback mit Milch übergießen und einweichen lassen.
Butter, Eigelb und Süßstoff schaumig rühren, den auf-
geweichten Zwieback mit etwas Zimt zugeben und
mixen. Eiweiß zu Schnee schlagen, unterziehen und
alles über den geschälten, in Stücke geschnittenen
Apfel geben. In einer feuerfesten Form im Ofen etwa
30 Minuten überbacken.

Kalte Mahlzeiten mit

Von belegten Broten bis zu saftigen Salaten finden Sie hier alles, worauf Sie im Laufe der Kur Appetit haben könnten. Wir haben bei den kalten Mahlzeiten auch an die Berufstätigen gedacht, die die Diät sicherlich nicht mit einer kalorienreichen Kantinenmahlzeit in der Mittagspause unterbrechen wollen und deshalb darauf angewiesen sind, eine Diät-Mahlzeit mit an den Arbeitsplatz zu nehmen. Dafür eignen sich am besten die kalten Mahlzeiten, besonders die Lunchpakete und Salate. In dicht schließenden Kunststoffbehältern können sie gut mitgenommen werden. Übrigens noch ein Tip: Nehmen Sie die letzte Mahlzeit möglichst nicht später als abends um acht ein.

Kalbsbraten mit Gurkensalat

200 g grüne Gurke ·
1 hartgekochtes Ei ·
1 Eierl. Öl · Zitronensaft ·
Salz · Pfeffer ·
Schnittlauch · 1 Teel.
Parmesankäse · 100 g
magerer Kalbsbraten ·
2 Scheiben Knäckebrot

Gurke in Würfel schneiden, Ei kochen. Eigelb mit Öl, etwas Zitronensaft, Salz, frischem Pfeffer und Schnittlauch verrühren. Soße mit dem gehackten Eiweiß unter die Gurkenwürfel ziehen und mit Parmesankäse bestreuen. Dazu Kalbsbraten und zwei Scheiben Knäckebrot.

Schweinesteak mit Apfelmayonnaise

100 g mageres Schweine-
steak · Salz · Pfeffer ·
1/2 kleiner Apfel · 2 gestr.
Teel. Mayonnaise · Salz ·
Currypuder · 1 kleine
Stange Sellerie ·
2 Scheiben Knäckebrot

Schweinesteak in einer beschichteten Pfanne fettfrei braten. Salzen und pfeffern. Apfel schälen und feinraffeln, mit der Mayonnaise verrühren und mit Salz und Currypuder abschmecken. Apfelmayonnaise auf das kalte Steak geben. Beilage: eine Stange Sellerie und Knäckebrot.

Leber mit Zwiebelringen

125 g Leber · Pfeffer ·
1 Salbeiblatt ·
1 mittelgroße Zwiebel ·
Salz · 1 Brötchen

Leber pfeffern und mit einem Salbeiblatt einreiben. In einer beschichteten Pfanne ohne Fett mit den Zwiebelringen braten. Nach dem Wenden mit 2 Eßl. Wasser ablöschen und salzen. Dazu ein Brötchen.

Beefsteak mit Meerrettichbutter

100 g sehr mageres
Rindfleisch · 1/4 Zwiebel ·
Salz · Pfeffer · 2 gestr.
Teel. Butter · 1 Teel.
geriebener Meerrettich ·
1 Scheibe Vollkornbrot

Rindfleisch in einer beschichteten Pfanne mit Zwiebelringen braten. Salzen und pfeffern. Butter und Meerrettich verrühren, mit wenig Salz abschmecken und auf das erkaltete Beefsteak geben. Die gerösteten Zwiebelringe darauf verteilen. Dazu Brot.

Schinkenröllchen

Die in Würfel geschnittene Gewürzgurke, Mayonnaise, feingewiegten Schnittlauch und Dill miteinander vermengen und die Schinkenscheiben damit füllen. Dazu Grahambrot.

1 mittelgroße Gewürzgurke · 1 Teel. Mayonnaise · Schnittlauch · Dill · 100 g gekochter magerer Schinken · 1 Scheibe Grahambrot

Schinken mit frischen Feigen

Den Schinken und die Feigen auf einem Teller anrichten. Dazu Kräcker.

100 g gekochter magerer Schinken · 100 g frische Feigen · 3 große Kräcker

Schinken mit Melone

Den Schinken und die eisgekühlten Melonenscheiben auf einem Teller anrichten. Dazu Toast.

100 g gekochter magerer Schinken · 400 g Wassermelone (Gewicht mit Schale) · 1 Scheibe Toast

Schinken mit Sellerie

Schinken mit Sellerie belegen. Mit Paprikapuder und Zitronensaft abschmecken. Dazu ein Butterbrot.

1 dicke Scheibe gekochter Schinken ohne Fettrand (100 g) · 1 Scheibe gekochter Sellerie (Dose) · Paprikapuder · Zitronensaft · 1 Scheibe Vollkornbrot · 1 gestr. Teel. Butter

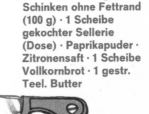

Pikantes Tatar

**100 g Beefsteakhack ·
1 Teel. Weinbrand · Salz ·
Selleriesalz · weißer
Pfeffer · Paprikapuder ·
1/2 Teel. Kümmel ·
Worcestersoße · 1/2 kleine
Zwiebel · 1 kleine
Essiggurke · 1 Eigelb ·
2 Scheiben Knäckebrot**

Beefsteakhack mit Weinbrand und den Gewürzen mischen. Mit Zwiebel- und Gurkenwürfeln garnieren. In der Mitte eine Vertiefung formen und das Eigelb hineinsetzen. Dazu Knäckebrot.

Hackepeter mit Ei

**1/8 Pfund mageres
Schweinehack · 1 kleine
Zwiebel · Salz · Pfeffer ·
1 hartgekochtes Ei ·
Paprikapuder ·
2 Tomaten · 1 Gewürz-
gurke · 2 Scheiben
Knäckebrot**

Das Fleisch mit der gehackten Zwiebel, Salz und Pfeffer würzen. Das Ei halbieren, mit Paprikapuder bestreuen und auf dem Hackepeter anrichten. Dazu Tomaten, Gewürzgurke, Knäckebrot.

Bulette auf Brötchen

**100 g Beefsteakhack ·
1/2 kleine Zwiebel · Salz ·
Pfeffer · Paprikapuder ·
Worcestersoße · 1 Teel.
Tomatenketchup ·
2 mittelgroße Mohrrüben ·
1 gestr. Teel. Butter ·
1 Brötchen**

Beefsteakhack mit der feingewiegten Zwiebel und den Gewürzen mischen und in einer beschichteten Pfanne ohne Fett braten. Einen Klecks Ketchup auf die gebratene Bulette geben. Mit den geraspelten Mohrrüben garnieren. Dazu ein gebuttertes Brötchen.

Kalbssteak mit Tomate

Kalbssteak salzen, pfeffern und in einer beschichteten Pfanne ohne Fett braten. Dann mit Zitronensaft beträufeln und mit gewiegter Petersilie bestreuen. Mit Tomatenscheiben garnieren und mit einer Spur Thymian und etwas Zwiebelpulver würzen. Dazu das gebutterte Brötchen.

125 g sehr mageres Kalbfleisch · Salz · Pfeffer · Zitronensaft · Petersilie · 1 mittelgroße Tomate · Thymian · Zwiebelgewürz · 1 Brötchen · 2 gestr. Teel. Butter

Gefüllte Tomaten

Die Tomaten aushöhlen und salzen. Den Kalbsbraten und das Ei in Streifen schneiden und mit dem Tomateninneren vermischen. Die mit Salz, Pfeffer, Paprikapuder abgeschmeckte Masse in die Tomaten füllen. Mit gehackter Petersilie bestreuen. Dazu Vollkornbrot.

3 mittelgroße Tomaten · Salz · 125 g mageren Kalbsbraten · ¹/₂ hartgekochtes Ei · Pfeffer · Paprikapuder · Petersilie · 1 Scheibe Vollkornbrot

Roastbeef mit Senffrüchten

Öl, Essig, die gewiegten Kräuter und die feingehackte Zwiebel mit den Gewürzen mischen und auf das Roastbeef geben. Mit Gurkenstreifen garnieren. Dazu Knäkkebrot.

1 Eierl. Öl · 1 Eierl. Weinessig · ¹/₂ Teel. Estragonblätter · ¹/₂ Teel. Petersilie · ¹/₄ Zwiebel · Salz · Selleriesalz · weißer und schwarzer Pfeffer · Paprikapuder · 100 g Roastbeef · 1 Senfgurke · 1 Scheibe Knäckebrot

Corned beef auf Brot

Das Corned beef mit der gehackten Zwiebel und der zerkleinerten Tomate vermischen, mit Senf würzen und auf Salatblättern anrichten. Dazu Brot.

100 g Corned beef · ¹/₂ Zwiebel · 1 Tomate · Senf · Salatblätter · 1¹/₂ Scheiben Mischbrot

Kaßlerbraten auf Graubrot

125 g magerer
Kaßlerbraten · Rauchsalz ·
Paprikapuder · 1 gestr.
Teel. Mayonnaise · 1 Teel.
Schnittlauchröllchen ·
1 kleine Essiggurke ·
1 Scheibe Graubrot

Kaßlerbraten mit Rauchsalz und Paprikapuder einreiben. Mayonnaise mit Schnittlauchröllchen verrühren und auf das Fleisch geben. Mit Gurkenstreifen garnieren. Dazu Brot.

Versteckte Würstchen

80 g Würstchen (Dose) ·
Senf · 1¹/₂ Eßl. Mager-
quark · Salz · Pfeffer ·
Petersilie · 2 Scheiben
Knäckebrot

Das Würstchen längs aufschneiden und mit Senf bestreichen. Den Quark mit Wasser cremig rühren, mit Salz, Pfeffer und gehackter Petersilie abschmecken und über die Würstchenhälften geben. Dazu Knäckebrot.

Geräuchertes Hähnchen mit Mandarinen

¹/₂ geräuchertes
Hähnchen · 1 Eßl.
Mandarinenstückchen ·
1 Scheibe Knäckebrot

Das Hähnchen zusammen mit den Mandarinenstückchen anrichten. Dazu Knäckebrot.

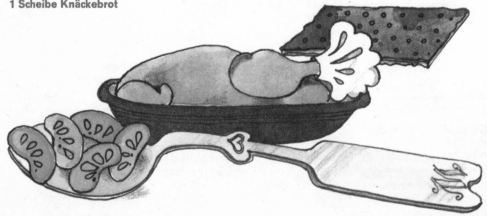

Garnelencocktail

Die Garnelen mit einer Soße aus Ketchup, geriebenem Meerrettich und Joghurt übergießen. Mit etwas Zitronensaft, Salz, Pfeffer, Süßstoff und gehackter Petersilie abschmecken. Das in Würfel geschnittene Pampelmusenfleisch unterziehen. Den Cocktail in einem Glas kühl servieren. Dazu Toast mit Butter.

**100 g Garnelenfleisch ·
1 Eßl. Ketchup ·
1 Messerspitze
geriebener Meerrettich ·
2 Eßl. Joghurt ·
Zitronensaft · Salz ·
Pfeffer · 1 Tabl. Süßstoff ·
gehackte Petersilie ·
¹/₄ mittelgroße
Pampelmuse · 1 Scheibe
Toast · ¹/₂ Teel. Butter**

Kräuterheringe

Über das Kräuterheringsfilet die feingehackte Zwiebel und die in kleine Würfel geschnittene Gewürzgurke geben. Dazu die Scheibe Toast.

**80 g Kräuterheringsfilet ·
1 kleine Zwiebel ·
1 Gewürzgurke ·
1 Scheibe Weißbrot**

Matjes in Currytunke

Quark mit Wasser, wenig Essig, Salz, Pfeffer, Curry, der gehackten Zwiebel und dem geriebenen Apfel verrühren und über den Matjes geben. Dazu Knäckebrot.

**1 Eßl. Magerquark ·
Essig · Salz · Pfeffer ·
Curry · ¹/₂ kleine Zwiebel ·
¹/₄ kleiner Apfel · 80 g
Matjesfilet · 2 Scheiben
Knäckebrot**

Austern, Würstchen, Schwarzbrot

Die frischen Austern eisgekühlt mit Zitronenscheiben anrichten. Mit Pfeffer würzen. Die Kalbsbratwurst in 4 bis 5 Würstchen abbinden und ohne Fett knusprig braun braten. Zusammen mit den Austern servieren. Dazu Brot mit Butter.

**8 Austern · 1 Zitrone ·
Pfeffer · 100 g
Kalbsbratwurst ·
1 Scheibe Vollkornbrot ·
¹/₂ Teel. Butter**

Bunter Teller

10 Kräcker ·
1 hartgekochtes Ei ·
3 Stück Anchovis · 1 Eßl.
Kaviar · 1 Eßl. Tomaten-
Paprika (Dose) · 1 Eßl.
Magerquark · 1 Scheibe
magerer Lachsschinken ·
1 Eßl. süßsauer
eingelegter Kürbis ·
2 Cornichons

Die Kräcker belegen mit: Eischeiben und Anchovis, Eischeiben und Kaviar, Tomaten-Paprika-Quark, Lachsschinken. Zur Dekoration Kürbis und Cornichons.

Hummer-Cocktail

150 g Hummerfleisch ·
1 Eßl. Weinbrand ·
Zitronensaft · Salz ·
Salatblätter · 1 Teel.
Ketchup · 2 mittelgroße
Tomaten · Dill · 1 Scheibe
Vollkornbrot

Das Hummerfleisch in Stücke schneiden. Mit Weinbrand, wenig Zitronensaft und Salz abschmecken. Auf
Salatblättern anrichten, Ketchuptupfer daraufsetzen.
Die Tomaten in Scheiben schneiden, mit gehacktem Dill
bestreuen. Dazu Vollkornbrot.

Dorschfilet mit scharfer Tomatensoße

150 g Dorschfilet · Salz ·
Zitronensaft · 1 Eßl.
Tomatenketchup · 2 gestr.
Teel. Mayonnaise ·
1 Messerspitze Paprika-
puder · Cayennepfeffer ·
Currypulver · weißer
Pfeffer · Knoblauch ·
1 Brötchen

Dorschfilet waschen, salzen, mit Zitronensaft beträufeln
und etwa 10 Minuten stehenlassen. Dann in einer beschichteten Pfanne knusprig braten. Aus Tomatenketchup, Mayonnaise und den Gewürzen eine Soße bereiten und über den kalten Fisch gießen. Dazu ein Brötchen.

Meerrettichquark

Den Quark mit der Milch cremig rühren, mit Salz und dem geriebenen Meerrettich abschmecken und auf den Salatblättern anrichten. Dazu Brot.

4¹/₂ EßI. Magerquark · 3 EßI. Vollmilch · Salz · 1 Teel. geriebener Meerrettich · Salatblätter · 1¹/₂ Scheiben Mischbrot

Rote-Bete-Quark

Die rote Bete weich kochen, in kleine Stückchen schneiden und in einer Marinade aus Öl, Essig, Salz und Pfeffer eine Weile ziehen lassen. Dann mit dem Quark gründlich verrühren. Am besten nehmen Sie dazu einen Schneebesen oder einen elektrischen Quirl. Ziemlich kühl servieren. Dazu Brot.

1 Knolle rote Bete · 1 Teel. Öl · Essig · Salz · Pfeffer · 4¹/₂ EßI. Magerquark · 1 Scheibe Mischbrot

Kapernquark

Den Quark mit etwas Wasser, den Kapern und der kleingewürfelten Gurke verrühren. Dazu Brot mit Margarine.

4¹/₂ EßI. Magerquark · 2 Teel. Kapern · 1 Essiggurke · 1 Scheibe Vollkornbrot · ¹/₂ Teel. Margarine

Käseplatte

Schnittkäse in flache Rechtecke schneiden, Quark salzen und pfeffern, eventuell mit wenig Wasser cremig rühren. Vier Kräcker mit Käsewürfeln und vier mit Quark belegen. Zur Dekoration: Weintrauben, Oliven, Ananas.

40 g Chester-, Holländer oder Edamer Käse (45 % Fett) · 1¹/₂ EßI. Magerquark · Salz · Pfeffer · 8 runde Kräcker · 2 Weintrauben · 2 Oliven · 1 Stückchen Ananas (Dose)

Roquefort-Törtchen

50 g Roquefort · 1¹/₂ Eßl.
Magerquark · 2 große
Kräcker · Dill · 1 Teel.
Tomaten-Paprika (Dose)

Roquefortkäse mit einer Gabel zerdrücken und mit dem Quark und etwas Wasser zu Creme verrühren. Auf die Kräcker streichen, gehackten Dill darüberstreuen und mit Tomaten-Paprika rundherum garnieren.

Pfefferkäsebrot

4 Eßl. Schichtkäse (10 %
Fett) · Salz · Pfeffer ·
Salatblätter · 1 Scheibe
Vollkornbrot · 2 Tomaten

Den Schichtkäse mit Salz abschmecken, zu Kugeln formen, mit reichlich grob gemahlenem schwarzem Pfeffer bestreuen. Die Kugeln auf Salatblätter legen. Dazu Vollkornbrot und Tomaten.

Fischfiletsalat

Das Fischfilet waschen, mit Zitronensaft beträufeln und $1/2$ Stunde stehenlassen. Mit Salz einreiben und in einer beschichteten Pfanne bei schwacher Hitze im eigenen Saft weich dünsten. Abkühlen lassen und in Stücke zerpflücken. Die Tomaten und die von Kernen befreite Paprikaschote in feine Streifen schneiden und mit einer Soße aus Joghurt, Senf und den angegebenen Gewürzen begießen. Mit gehackter Petersilie bestreuen. Dazu gibt's Knäckebrot.

150 g Kabeljaufilet · Zitronensaft · Salz · 2 mittelgroße Tomaten · 1 kleine Paprikaschote · $1/2$ Becher Trinkmilch-Joghurt · 1 knapper Teel. Senf · 1 Prise Zucker · Salz · Currypulver · Petersilie · 2 Scheiben Knäckebrot

Fischsalat

Den gekochten Fisch in kleine Teile zerteilen. Mayonnaise, Joghurt, eventuell etwas Wasser, Senf, Salz, Pfeffer, gehackte Zwiebel und feingewiegte Petersilie zu einer Marinade vermischen. Die Fischstückchen daruntergeben. Auf einigen Salatblättern anrichten. Dazu gibt es ein Brötchen.

150 g gekochter Kabeljau (Gewicht ohne Abfall) · 1 Eßl. Mayonnaise · 2 Eßl. Magermilch-Joghurt · Senf · Salz · Pfeffer · $1/2$ kleine Zwiebel · Petersilie · Salatblätter · 1 Brötchen

Thunfischsalat

Den Thunfisch zerpflücken. Zwiebel feinhacken. Tomaten pellen und in kleine Stücke zerteilen. Die Paprikaschote in Streifen schneiden und die ungeschälte Gurke würfeln. Alles mit dem Quark und mit Kapern mischen, würzen. Dazu Knäckebrot.

50 g Thunfisch in Öl (nur feste Teile) · $1/2$ kleine Zwiebel · 2 mittelgroße Tomaten · $1/2$ kleine Paprikaschote · 1 Stückchen grüne Gurke (100 g) · 2 Eßl. Magerquark · 1 Teel. Kapern · Salz · Paprikapuder · 1 Scheibe Knäckebrot

Sauerkrautsalat

150 g Sauerkraut ·
$^1/_2$ kleine Paprikaschote ·
Salz · wenig Essig · 100 g
mageres Kaßler ohne
Fettrand · 1 Scheibe
Vollkornbrot

Sauerkraut unter fließendem Wasser waschen und ausdrücken. Paprikaschote in Streifen schneiden und unter das Sauerkraut mischen. Mit Salz und wenig Essig abschmecken. Dazu Kaßler und Vollkornbrot.

Wurstsalat auf Brot

$^1/_8$ Pfund Fleischwurst ·
$^1/_2$ kleine Zwiebel ·
1 kleine Essiggurke ·
2 Eßl. Magerquark ·
Essig · Senf · Salz ·
Pfeffer · 1 Scheibe
Mischbrot

Die Fleischwurst in feine Streifen schneiden, die Zwiebel und die Essiggurke hacken. Aus Quark, etwas Wasser, Essig, Senf, Salz und Pfeffer eine Marinade bereiten. Gut durchmischen und etwas ziehen lassen. Dazu Brot.

Zungensalat

1 Scheibe Toast · $^1/_2$ Teel.
Butter · 100 g gekochte
Kalbszunge · 100 g
Sellerieknolle (Dose) ·
$^1/_2$ kleine Paprikaschote ·
Essig · Senf · Salz ·
Pfeffer · Paprikapuder

Den Toast mit Butter bestreichen. Zunge, Sellerie und Paprikaschote in Streifen schneiden. Mit etwas Essig, Senf, Salz, Pfeffer und reichlich Paprikapuder abschmecken, kalt servieren.

Cornedbeefsalat

100 g Corned beef ·
1 Teel. Öl · Essig · Senf ·
Salz · Pfeffer · 1 kleine
Zwiebel · 1 Scheibe
Mischbrot

Das Corned beef zerpflücken und in einer Marinade aus Öl, Essig, Senf, Salz und Pfeffer gut durchziehen lassen. Mit Zwiebelringen anrichten. Dazu Brot.

Bunter Salat

Kalbsbraten und Tomate in kleine Würfel, die Paprikaschote und den Apfel in feine Streifen schneiden, die Zwiebel feinhacken. Aus Öl, Essig und Gewürzen eine Marinade bereiten. Über das Kleingeschnittene geben und gut mischen. Dazu Knäckebrot.

100 g magerer Kalbsbraten ohne Fettrand · 1 mittelgroße Tomate · 1 kleine Paprikaschote · 1 kleiner Apfel · 1/2 mittelgroße Zwiebel · 4 Eierl. Öl · Essig · Salz · 1 Tabl. Süßstoff · Edelsüß-Paprikapuder · 1 Scheibe Knäckebrot

Meerrettichsalat

Quark, Joghurt oder Dickmilch, Öl und Meerrettich miteinander verrühren und mit den Gewürzen und einigen Tropfen Essig abschmecken. Gurke, Tomate und gekochten Schinken in kleine Würfel schneiden und unter die Soße mengen. Dazu Vollkornbrot.

1 1/2 Eßl. Magerquark · 1 Eßl. Trinkmilch-Joghurt oder Dickmilch · 1 Eierl. Öl · 1 Eßl. geriebener Meerrettich · Salz · Pfeffer · Zwiebelgewürz · 1 Messerspitze Senf · Essig · 1 kleine Essiggurke · 1 mittelgroße Tomate · 62,5 g (1/8 Pfund) gekochter Schinken ohne Fettrand · 1 Scheibe Vollkornbrot

Schinken-Reis-Salat

Den Schinken, die Tomate und den geschälten Apfel in Stücke schneiden. Den in Salzwasser weichgekochten Reis zugeben. Die Mayonnaise mit etwas Wasser verrühren, mit ein wenig Salz, Pfeffer, Zitronensaft und gehackter Petersilie würzen und alle Zutaten gut untereinander mischen.

100 g magerer gekochter Schinken · 1 Tomate · 1/2 kleiner Apfel · 1 1/2 Eßl. Reis · 1 Eßl. Mayonnaise · Salz · Pfeffer · Zitronensaft · Petersilie

Zigeunersalat

100 g mageres Kaßler ohne Fettrand · Paprika- puder · Cayennepfeffer · Salz · 1 Stückchen Chili- schote (nicht zuviel) · 1 kleine Paprikaschote · 1 mittelgroße Tomate · 1 Teel. Öl · 1 Eßl. Essig · 1 Scheibe Mischbrot

Kaßlerbraten in Streifen schneiden und mit den Gewür- zen bestäuben. Das Stückchen Chilischote sehr fein wiegen, die Paprikaschote in Streifen, die Tomate in Würfel schneiden. Öl und Essig zugeben und den Salat gut mischen. Beilage: Brot.

Roastbeefsalat

100 g mageres Roastbeef ohne Fettrand · 100 g Mixed Pickles · 1 Stück- chen Senfgurke · 2 Eßl. Dickmilch · etwas Senf · geriebener Meerrettich · Salz · Pfeffer · Schnitt- lauchröllchen · 1 Scheibe Vollkornbrot

Roastbeef in Streifen schneiden. Mixed Pickles in Stückchen teilen, Senfgurke in kleine Würfel schneiden. Aus Dickmilch, Senf, Meerrettich, Salz und Pfeffer eine Soße bereiten und über das Fleisch geben. Mit Schnitt- lauchröllchen bestreuen. Dazu Vollkornbrot.

Fleischsalat

150 g mageres gekochtes Rindfleisch · 1/2 Zwiebel · 1 Tomate · 1 saure Gurke · 1/2 Becher Magermilch- Joghurt · 1 Teel. geriebe- ner Meerrettich · Senf · Salz · Pfeffer · Essig · 1 Scheibe Grahambrot

Das gekochte Rindfleisch in Würfel schneiden. Die Zwiebel feinhacken, Tomate und Gurke in kleine Stück- chen schneiden und aus Joghurt, Meerrettich, etwas Senf eine Marinade bereiten. Mit Salz, Pfeffer und Essig abschmecken und alle Zutaten untereinander gut vermischen. Dazu eine dünne Scheibe Grahambrot.

Champignon-Wurst-Salat

Die Lyoner Wurst in feine Streifen schneiden. Die Champignons blättrig, die von Kernen befreite Paprikaschote in kleine Stückchen schneiden, Zwiebel und Petersilie hacken. Die Mayonnaise mit etwas Wasser verrühren, mit Salz, Pfeffer, Senf und Essig abschmecken und mit den kleingeschnittenen Zutaten gründlich vermischen. Den Salat gut durchziehen lassen und vor dem Servieren etwa eine halbe Stunde lang in den Kühlschrank stellen. Dazu eine Scheibe Knäckebrot.

80 g Lyoner Wurst · 100 g Champignons (Dose) · 1/4 Paprikaschote · 1/2 Zwiebel · Petersilie · 1 Teel. Mayonnaise · Salz · Pfeffer · Senf · Essig · 1 Scheibe Knäckebrot

Jägersalat

Rehfleisch in kleine Würfel schneiden. Die halbe Zwiebel und die Petersilie hacken. Pfifferlinge, Perlzwiebeln und Tomaten-Paprika dazugeben und mit Salz, Pfeffer, Lorbeerblatt und etwas Essig pikant abschmecken und ca. eine Stunde durchziehen lassen. Dazu eine Scheibe Toast.

125 g Rehbraten (Gewicht ohne Abfall) · 1/2 kleine Zwiebel · Petersilie · 50 g Pfifferlinge · 1 Eßl. Perlzwiebeln · 1 Eßl. Tomaten-Paprika (Dose) · Salz · Pfeffer · 1 Lorbeerblatt · etwas Essig · 1 Scheibe Weißbrot

Pökelzungensalat

Die Sellerieknolle gründlich waschen und zusammen mit den Kartoffeln nicht zu weich kochen. Schälen bzw. pellen und in Scheiben schneiden. Die Paprikaschote, die Tomate und die Pökelzunge in feine Streifen schneiden und alles in einer Marinade aus Quark, Dickmilch, Senf, Essig, Salz und den Kräutern gut durchziehen lassen.

150 g Sellerieknolle · 2 kleine Kartoffeln · 1/2 kleine Paprikaschote · 1 mittelgroße Tomate · 1/8 Pfund Pökelzunge vom Rind · 1/8 Pfund Magerquark · 3 Eßl. Dickmilch · Senf · milder Essig · Salz · 1 Eßl. gehackte Kräuter (Petersilie, Dill, Kerbel)

Senfeier-Salat

2 Eier · 1¹/₂ EßL.
Magerquark · Senf ·
Salz · Zitronensaft ·
Schnittlauch · Salatblätter ·
1 Scheibe Mischbrot

Eier hart kochen und hacken. Den Quark mit Wasser verrühren, mit Senf, Salz und etwas Zitronensaft abschmecken und unter die Eier geben. Mit Schnittlauch bestreuen und auf Salatblättern anrichten. Dazu Brot.

Wurstsalat

80 g Corned beef · 1 dicke
Scheibe Schnittkäse
(20 % Fett) · 1 mittelgroße
Tomate · 1 Stück grüne
Gurke (100 g) · ¹/₂ mittelgroße Zwiebel · 2 EßL.
saure Sahne · Salz ·
Pfeffer · etwas Essig ·
1 Scheibe Knäckebrot

Corned beef und Käse in kleine Würfel schneiden, ebenso die Tomate und die ungeschälte Gurke. Die Zwiebel feinhacken und mit saurer Sahne, Salz, Pfeffer und Essig würzig abschmecken. Dazu gibt es eine Scheibe Knäckebrot.

Geflügelsalat

200 g Staudensellerie ·
Salzwasser · ¹/₂ Becher
Magermilch-Joghurt ·
1 knapper EßL.
Mayonnaise · etwas
scharfer Senf · Salz ·
Pfeffer · Zitronensaft ·
150 g Hühnerbrust ·
Salatblätter · 1 Scheibe
Knäckebrot

Den Stangensellerie in feine Stifte schneiden und einige Zeit in Salzwasser stehenlassen. Danach das Wasser abschütten. Eine Marinade aus Joghurt, Mayonnaise, etwas Senf, Salz, frischem Pfeffer und Zitronensaft bereiten und gut ziehen lassen. Das Hühnerfleisch in Streifen schneiden, unter den Sellerie geben und auf Salatblättern anrichten. Dazu Knäckebrot.

Spanischer Salat

1 Ei · ¹/₂ kleine Paprika-
schote · 4 Scheiben
Lachsschinken ohne
Fettrand · ¹/₂ mittelgroße
Zwiebel · 1 kleines Glas
marinierte Oliven · etwas
Essig · Salz · weißer und
schwarzer Pfeffer ·
¹/₂ Brötchen oder 1 dünne
Scheibe Weißbrot

Ei hart kochen, schälen, halbieren und der Länge nach
in Stücke schneiden. Paprikaschote und Lachsschinken
in feine Streifen schneiden; Zwiebel hacken und die
Oliven halbieren. Den Salat mit den Gewürzen abschmecken. Beilage: Brötchen oder Toast.

Eiersalat in Senfmarinade

2 hartgekochte Eier ·
1¹/₂ Eßl. Magerquark ·
etwas Wasser · Senf ·
Salz · Schnittlauch ·
1 Teel. Kapern · 1 kleines
Bund Radieschen · 10 g
Anchovis · 3 Kräcker

Die hartgekochten Eier in Scheiben schneiden. Aus
Quark mit etwas Wasser und Senf eine Marinade bereiten. Mit Salz, gehacktem Schnittlauch und Kapern
abschmecken und über die Eier geben. Mit Radieschen,
den Anchovis und drei Kräckern anrichten.

Eiersalat

2 Eier · 1 Stück grüne
Gurke (100 g) ·
1 Stückchen Sardellen-
filet · 2 Eßl. Magerquark ·
¹/₂ Becher Magermilch-
Joghurt · Senf · 1 Prise
Zucker · Salz · Pfeffer ·
Zitronensaft · einige
Salatblätter · Schnittlauch ·
1 Scheibe Knäckebrot

Die Eier hart kochen, schälen und grob hacken. Die
Gurke in kleine Würfel schneiden. Das Sardellenfilet
fein wiegen und daruntermengen. Aus Quark, Joghurt,
Senf, Zucker, Salz, Pfeffer und Zitronensaft eine Soße
bereiten und über die Masse gießen. Den Salat gut
durchziehen lassen, auf Salatblättern anrichten und mit
Schnittlauchröllchen garnieren. Dazu das Knäckebrot.

Eibrot mit Rohkost

2 Eier · 1 Scheibe
Mischbrot · Salz · Dill ·
2 Mohrrüben · 1½ EßI.
Magermilch-Joghurt ·
Zitronensaft · 1 Tabl.
Süßstoff

Eier hart kochen und in Scheiben schneiden. Das Brot damit belegen, mit Salz und gehacktem Dill bestreuen. Mohrrüben feinraffeln, in einer Soße aus Joghurt, Zitronensaft, Salz und Süßstoff eine Weile ziehen lassen. Das Eibrot mit dem Salat garnieren.

Kresse-Ei-Salat

2 hartgekochte Eier ·
1 Eierl. Öl · Zitronensaft ·
½ Becher Magermilch-
Joghurt · Salz · Pfeffer ·
Senf · Meerrettich ·
1 Spur Süßstoff · 1 Bund
Kresse · 1 dünne
Scheibe Toastbrot

Die hartgekochten Eier schälen und in Scheiben schneiden. Eine Marinade aus Öl, Zitronensaft, Joghurt, Salz, Pfeffer, einer Spur Senf, Meerrettich und Süßstoff zubereiten und über die Eischeiben gießen. Kresse mit einer Schere abschneiden, waschen, abtropfen lassen und darunterheben. Dazu ein Toast und sofort servieren.

Paprikasalat mit Senfeiern

1 große Paprikaschote
(150 g) · 2 Eier · 2 EßI.
Magerquark · Senf ·
Salz · Pfeffer · etwas
Streuwürze · 1 Tomate ·
½ Scheibe Vollkornbrot

Die Paprikaschote entkernen und in Streifen schneiden. Eier hart kochen und schälen. Eigelb, Quark, Senf, Salz, Pfeffer und Streuwürze mit einem Rührstab vermengen. Diese Soße und das gehackte Eiweiß über die Paprikastreifen geben. Mit der Tomate garnieren. Dazu Vollkornbrot.

Blumenkohlsalat

200 g Blumenkohl · 4 EßI.
Magerquark · 1 Eigelb ·
Zitronensaft · Salz · Dill ·
1 Scheibe Vollkornbrot

Blumenkohl in wenig Salzwasser weich kochen und abkühlen lassen. Quark, etwas Wasser und Eigelb verquirlen und mit Zitronensaft, Salz und reichlich gehacktem Dill abschmecken. Über den Blumenkohl gießen und gut ziehen lassen. Dazu das Vollkornbrot.

Käsesalat mit Früchten

Den Käse in kleine Würfel und den Apfel und die Mandarine in kleine Stückchen schneiden. Die Zwiebel hakken. Aus Joghurt, Salz, Pfeffer und Zitronensaft eine Marinade bereiten und die übrigen Zutaten darin ziehen lassen. Auf Salatblättern anrichten. Dazu zwei Scheiben Knäckebrot.

1/8 Pfund Edamer Käse (30 % Fett) · 1/2 kleiner Apfel · 1/2 Mandarine · 1/2 kleine Zwiebel · 2 Eßl. Magermilch-Joghurt · Salz · Pfeffer · Zitronensaft · Salatblätter · 2 Scheiben Knäckebrot

Käsesalat

Käse in kleine Würfel schneiden, Apfel schälen und ebenfalls kleinschneiden; Paprikaschote und Gurke in feine Streifen schneiden. Eine Soße aus Öl, Essig, Salz, Zwiebelgewürz und Schnittlauch bereiten und über das Kleingeschnittene gießen. Dazu Knäckebrot.

3 Scheiben Schnittkäse (60 g, 30 % Fett) · 1/2 kleiner Apfel · 1/2 kleine Paprikaschote · 1 kleine Essiggurke oder ein Stückchen grüne Gurke · 1 Teel. Öl · 1 Teel. Essig · Salz · Zwiebelgewürz · Schnittlauch · 2 Scheiben Knäckebrot

Spargelsalat mit Pilzen

Die Champignons putzen und blättrig schneiden. In wenig Wasser mit einer Messerspitze Brühextrakt dünsten. Den Spargel schälen und in Salzwasser weich kochen. Auf einem Sieb abtropfen lassen. Aus Quark, saurer Sahne, Mayonnaise, Zitronensaft, Salz und einer Prise Zucker eine Soße bereiten und über den Spargel und die Pilze gießen. Ziehen lassen und mit Petersilie anrichten. Dazu Knäckebrot.

125 g frische Champignons · Brühextrakt · 250 g frischer Spargel · 1 Eßl. Magerquark · 2 Eßl. saure Sahne · 1 gestr. Teel. Mayonnaise · Zitronensaft · Salz · 1 Prise Zucker · Petersilie · 1 Scheibe Knäckebrot

Mohrrübensalat

150 g Mohrrüben · 2 Eßl. Dickmilch · Salz · Süßstoff · etwas Zitronensaft · geriebener Meerrettich · 100 g gekochter Schinken ohne Fett · 2 Scheiben Knäckebrot

Die Mohrrüben schälen und feinraffeln. Mit einer Marinade aus Dickmilch, Salz, aufgelöstem Süßstoff, Zitronensaft, etwas geriebenem Meerrettich vermengen. Mit Schinkenröllchen anrichten. Dazu Knäckebrot.

Spinatsalat und Lachsschinken

150 g frischer Spinat · 1 Stückchen Zwiebel · 1 Eierl. Öl · Salz · Pfeffer · Zitronensaft · 1 Ei · 1 Sardellenfilet · 50 g Lachsschinken ohne Fettrand · 1 Scheibe Toast

Den Spinat überbrühen und feinhacken. Die gewiegte Zwiebel, Öl, Salz, Pfeffer und Zitronensaft zugeben, ebenso das hartgekochte, gehackte Ei und das gewiegte Sardellenfilet. Alles vorsichtig mischen. Dazu Lachsschinkenröllchen und eine Scheibe Toast.

Mohrrübenkost mit Meerrettich und Corned beef

200 g Mohrrüben · Salatblätter · 1 Teel. geriebener Meerrettich · Petersilie · 1 Eßl. Sahne · 1 Eßl. Milch · etwas Zitronensaft · Süßstoff · 100 g Corned beef · ½ Brötchen

Die Mohrrüben raffeln und auf Salatblättern anrichten. Mit dem Meerrettich und gehackter Petersilie bestreuen. Vor dem Servieren mit einer Salatsoße aus Sahne, Milch, Zitronensaft und etwas Süßstoff übergießen. Dazu eine Scheibe Corned beef und Brötchen.

Fenchelsalat mit Ei

200 g Fenchel · 2 Eßl. Magerquark · 3 Eßl. saure Sahne · Salz · Streuwürze · Zitronensaft · 1 Ei · 1 Scheibe Knäckebrot

Die Fenchelblätter entfernen, nur die zarten grünen Blätter aufbewahren und feinhacken. Die Knolle etwa 25 Minuten in Salzwasser weich kochen. Dann in feine Streifen schneiden und in einer Marinade aus Quark, saurer Sahne, Salz, Streuwürze und etwas Zitronensaft gut ziehen lassen. Mit dem gehackten Fenchelgrün bestreuen. Dazu ein hartgekochtes Ei und Knäckebrot.

Porreesalat

Den Porree in sehr feine Scheiben schneiden, die Gurke würfeln. Die Sellerieknolle und das Apfelstück raffeln und die gepellten Kartoffeln und den Schweinebraten in feine Streifen schneiden. In einer Salatsoße aus Joghurt, Senf, Zitronensaft und Gewürzen den Gemüsesalat gut durchziehen lassen.

1 Stange Porree · 1 Stück grüne Gurke · 1 Stückchen Sellerieknolle (50 g) · 1/2 Apfel · 3 Pellkartoffeln · 100 g magerer Schweinebraten (ohne sichtbares Fett) · 1/2 Becher Magermilch-Joghurt · Senf · Zitronensaft · 1 Messerspitze Oregano · Salz · Pfeffer · 1 Tabl. Süßstoff

Blumenkohlrohkost mit Quarkcreme und Schinken

Den Blumenkohl gründlich waschen und in ganz kleine Röschen zerpflücken. Den Magerquark mit Joghurt, Eigelb und Ketchup verrühren, mit Salz, Süßstoff und Zitronensaft abschmecken und über die Röschen geben. Mit Petersilie und der geviertelten Tomate anrichten. Dazu Lachsschinken und Knäckebrot.

250 g Blumenkohl · 1 1/2 Eßl. Magerquark · 1/2 Becher Magermilch-Joghurt · 1/2 Eigelb · 1 Eßl. Tomatenketchup · Salz · Süßstoff · Zitronensaft · Petersilie · 1 Tomate · 1/8 Pfund Lachsschinken · 1 Scheibe Knäckebrot

Champignonsalat

2 Eßl. Magerquark · 2 Eßl.
Trinkmilch-Joghurt oder
Dickmilch · 2 Eßl.
Tomatenketchup · Salz ·
Pfeffer · 1 Tabl. Süßstoff ·
100 g Champignons
(Dose) · 1 kleines
Frankfurter Würstchen ·
Petersilie · 2 Scheiben
Knäckebrot

Quark mit Joghurt oder Dickmilch und Tomatenketchup verrühren, mit Salz, Pfeffer und der aufgelösten Tablette Süßstoff abschmecken. Die Champignons und das in Scheiben geschnittene Würstchen untermengen. Mit gehackter Petersilie bestreuen. Dazu Knäckebrot.

Gemüsesalat

100 g Kalbsbraten ohne
Fettrand · 100 g Spargel
(Dose) · 50 g Erbsen und
Karotten (Dose) · 4 Eßl.
Dickmilch · 1 Eierl. Öl ·
Salz · weißer Pfeffer ·
1 Messerspitze Senf ·
etwas Süßstoff · Kräuter
(Petersilie, Dill, frisch
oder getrocknet) ·
1 Scheibe Mischbrot

Kalbsbraten in Streifen, Spargel in Stücke schneiden, Erbsen und kleingeschnittene Karotten dazugeben. Aus Dickmilch, Öl und Gewürzen eine Soße bereiten und über das Kleingeschnittene gießen. Mit gehackten Kräutern bestreuen. Beilage: Brot.

Dänischer Bohnensalat

200 g grüne Bohnen ·
Salzwasser · 2 kleine
Pellkartoffeln · 80 g
Matjesfilet ·
1/2 mittelgroße Zwiebel ·
1 Eßl. Magerquark · 2 Eßl.
Magermilch-Joghurt ·
etwas Senf · Essig · Salz ·
weißer Pfeffer

Die geputzten Bohnen in Salzwasser weich kochen. Abkühlen lassen. Die gekochten Kartoffeln pellen und in dünne Scheiben schneiden. Matjesfilet würfeln und die Zwiebel feinhacken. Eine Marinade aus Quark, Joghurt, Senf und Essig bereiten, mit Salz und weißem Pfeffer würzen. Alles vermengen und gut ziehen lassen.

Bierschinken-Brot

Vollkornbrot mit Gurkenscheiben belegen, mit Salz und Pfeffer würzen. Darauf den Bierschinken legen, mit Remoulade bestreichen und die Scheibe zusammenklappen.
Quark mit etwas Wasser cremig rühren. Mit Süßstoff und abgeriebener Apfelsinenschale abschmecken.

1 Scheibe Vollkornbrot · 1 Stück grüne Gurke · Salz · Pfeffer · 2 dünne Scheiben Bierschinken (40 g) · 1 Teel. Remoulade · 3 Eßl. Magerquark · 1 Tabl. Süßstoff · ungespritzte Apfelsinenschale

Wurstbrot

Brot in der Mitte durchschneiden, mit Ketchup bestreichen, mit Zwiebelringen und Fleischwurstscheiben belegen und zusammenklappen.
Quark mit etwas Wasser cremig rühren. Mit Süßstoff und Vanille abschmecken.

1 Scheibe Vollkornbrot · 2 Teel. Curryketchup · einige Zwiebelringe · 40 g Fleischwurst 3 Eßl. Magerquark · 1 Tabl. Süßstoff · 1 Messerspitze Vanille

Sülzwurst-Brot

Brot dünn mit Senf bestreichen, mit Gurkenscheiben, Salatblättern und Wurst belegen und zusammenklappen.
Quark mit etwas Wasser cremig rühren. Mit Salz, Zwiebelgewürz und Majoran abschmecken.

1 Scheibe Vollkornbrot · Senf · 1 Essiggurke · Salatblätter · 2 Scheiben Sülzwurst (40 g) · 3 Eßl. Magerquark · Salz · Zwiebelgewürz · Majoran

Schwartenmagen

Brötchen mit Salatblättern belegen, mit etwas Salz, Pfeffer und gehackter Zwiebel bestreuen. Darauf den Schwartenmagen legen.
Quark mit etwas Wasser cremig rühren. Mit Salz, gehackter Zwiebel und Kümmel würzen.

1 Brötchen · Salatblätter · Salz · Pfeffer · etwas Zwiebel · 1 Scheibe Schwartenmagen (40 g) · 3 Eßl. Magerquark · Salz Zwiebel · Kümmel

Tomatensandwich

1 Ei · 1 Scheibe
Vollkornbrot · 2 Teel.
Senfketchup · Schnitt-
lauch · 1 Tomate ·
3 Eßl. Magerquark · Salz ·
Petersilie

Das Ei hart kochen. Vollkornbrot mit Senfketchup bestreichen, mit Schnittlauchröllchen bestreuen und mit
Tomaten- und Eischeiben belegen. Die Scheibe zusammenklappen.
Quark mit etwas Wasser cremig rühren, mit Salz und
viel gehackter Petersilie abschmecken.

Eibrötchen

1 Ei · 1 Brötchen · 1 Eßl.
Tomatenketchup ·
Salatblätter · Salz ·
Schnittlauch ·
3 Eßl. Magerquark · Salz ·
Schnittlauch

Das Ei hart kochen. Das Brötchen aufschneiden und mit
Ketchup bestreichen. Mit Salatblättern und Eischeiben
belegen. Mit Salz und Schnittlauchröllchen bestreuen.
Quark mit Wasser cremig rühren, mit Salz und Schnittlauchröllchen würzen.

Heringsbrötchen

1 Brötchen · 40 g Hering
in Senfsoße (Dose) ·
Salatblätter · 3 Eßl.
Magerquark · 1 Tabl.
Süßstoff · ungespritzte
Zitronenschale

Brötchen aufschneiden, mit Senfsoße bestreichen. Mit
Hering und Salatblättern belegen und zusammenklappen.
Quark mit etwas Wasser cremig rühren. Mit Süßstoff
und abgeriebener Zitronenschale abschmecken.

Ölsardinenbrötchen

1 Brötchen · Salatblätter ·
40 g Ölsardinen · Salz ·
Paprikapuder · 1 Teel.
Tomatenmark (Tube) ·
3 Eßl. Magerquark · Salz ·
Pfeffer · Zwiebelgewürz ·
Thymian · 1 gestr. Teel.
Tomatenmark

Brötchen aufschneiden. Mit Salatblättern und Ölsardinen belegen und mit Salz, Paprikapuder und Tomatenmark würzen. Das Brötchen zusammenklappen.
Quark mit etwas Wasser cremig rühren. Mit Salz, Pfeffer, Zwiebelgewürz, Thymian und Tomatenmark abschmecken.

Hühnerbrüstchen mit Pfirsichmayonnaise

Toast mit dem in Stücke geschnittenen Hühnerbrüst-
chen belegen. Den halben Pfirsich häuten und in sehr
feine Streifen schneiden. Mit Mayonnaise, Joghurt, Zitronensaft, Salz und Pfeffer verrühren und auf das Hühnerfleisch geben.

**1 Scheibe Toast · 100 g
Hühnerbrust (ohne Haut) ·
1/2 mittelgroßer Pfirsich ·
1 knapper Eßl. Mayon-
naise · 1/4 Becher Mager-
milch-Joghurt · Zitronen-
saft · Salz · Pfeffer**

Lendenschnitte

Das Brot mit dem Braten belegen. Die Oliven feinhak-
ken und über das fertige Brot streuen.

**1 Scheibe Vollkornbrot ·
100 g magerer
Lendenbraten · 5 Oliven**

Kalbsbraten auf Toast

Gebutterten Toast mit Kalbsbraten belegen. Cornichons und Perlzwiebeln hacken, mit der Barbecuesoße
verrühren und über den Kalbsbraten geben.

**1 Scheibe Toast · 1 Teel.
Butter · 100 g magerer
Kalbsbraten ·
5 Cornichons · 1 Eßl.
Perlzwiebeln · 1 Eßl.
Barbecue-Soße**

Schinken-Ei

1 hartgekochtes Ei ·
1 Eierl. Öl · ¼ Becher
Magermilch-Joghurt ·
4 Scheiben Lachs-
schinken · Schnittlauch ·
Salz · 5 Cornichons ·
1 Scheibe Vollkornbrot

Das hartgekochte Ei halbieren und das Eigelb durch ein Sieb streichen. Mit Öl, Joghurt, feingehacktem Schinken, Schnittlauch, Salz und zwei gehackten Cornichons vermengen und in die Eihälften füllen. Mit den restlichen Cornichons garnieren. Auf Brothäppchen servieren.

Schinken mit Käsecreme

1 Scheibe Vollkornbrot ·
½ Teel. Butter · ⅛ Pfund
gekochter magerer
Schinken · 1½ Eßl.
Magerquark · ¼ Becher
Magermilch-Joghurt ·
1 kleines Stück frische
Paprikaschote · 1 Stück-
chen Pfefferschote ·
¼ kleine Zwiebel · Kerbel
· Dill · Knoblauch · Salz

1 Scheibe Vollkornbrot mit Butter bestreichen und mit Schinken belegen. Aus Quark, Joghurt, sehr fein gehackter Paprika- und Pfefferschote, Zwiebel, Kerbel und Dill eine Creme bereiten und mit einer Spur Knoblauch und Salz abschmecken. Die Quarkcreme auf das Schinkenbrot streichen.

Schinken mit Spargel

1 Scheibe Toast ·
8 Scheiben Lachs-
schinken · 100 g Spargel
(Dose) · 1 gehäufter Teel.
Mayonnaise ·
Zitronensaft · Petersilie

1 Scheibe Toast mit Schinken und Spargel belegen. Aus der Mayonnaise, etwas Zitronensaft und wenig Wasser eine Marinade bereiten und über den Spargel gießen. Mit reichlich gehackter Petersilie bestreuen.

Tatarsandwich

Das Hackfleisch mit den angegebenen Gewürzen pikant abschmecken, mit den Oliven garnieren und zwischen Salatblättern auf dem Brötchen anrichten.

**100 g Beefsteakhack ·
¹/₂ Ei · 1 kleine Zwiebel ·
Pfeffer · Salz · Cayenne-
pfeffer · 1 Teel. Sojasoße ·
3 bis 4 Oliven ·
Salatblätter · 1 Brötchen**

Corned beef auf Schwarzbrot

Brot buttern, mit den Salatblättern und Radieschenscheiben belegen. Mit Salz und Pfeffer würzen. Das Corned beef darauflegen.

**1 Scheibe Vollkornbrot ·
1 gestr. Teel. Butter ·
2 Salatblätter ·
2 Radieschen · Salz ·
Pfeffer · 100 g Corned
beef**

Roastbeef

Das Brot mit Roastbeef belegen. Mit geviertelten Tomaten und Maiskölbchen garnieren.

**1 Scheibe Vollkornbrot ·
100 g Roastbeef ·
2 mittelgroße Tomaten ·
5 Maiskölbchen**

Prager Schinken

2 Scheiben Knäckebrot ·
100 g magerer Prager
Schinken · 100 g
Staudensellerie · Salz ·
$^1/_2$ Becher Magermilch-
Joghurt · Senf · 50 g
Trüffeln

Das Knäckebrot mit Schinken belegen. Den Stauden-
sellerie in feine Streifen schneiden, salzen und in einer
Marinade aus Joghurt, Senf und Salz ziehen lassen. Die
Trüffeln in Scheiben schneiden und darüberstreuen.

Bündner Fleisch mit Spargel

1 Scheibe Vollkornbrot ·
100 g Bündner Fleisch ·
100 g Spargel (Dose) ·
2 EBl. Apfelsinensaft ·
1 EBl. Joghurt · Süßstoff

Vollkornbrot mit hauchdünn geschnittenem Bündner
Fleisch und Spargel belegen. Apfelsinensaft, Joghurt
und den aufgelösten Süßstoff gut verquirlen und über
das belegte Brot gießen.

Kalbsbraten und Rohkost

1 Scheibe Vollkornbrot ·
$^1/_2$ Teel. Butter · 100 g
magerer Kalbsbraten ·
$^1/_2$ Apfel · 2 Möhren ·
Salz · Zitronensaft ·
Süßstoff

Das Brot mit Butter bestreichen und mit dem Kalbsbraten belegen. Apfel und Möhren feinraffeln und mit
Salz, Zitronensaft und Süßstoff abschmecken.

Vollkornbrot mit Kaßler und Kohlrabi

1 Scheibe Vollkornbrot ·
$^1/_2$ Teel. Butter · 100 g
mageres Kaßler · 1 kleiner
Kohlrabi

Das Brot mit Butter bestreichen und mit dem in dünne
Scheiben geschnittenen Kaßler belegen. Den Kohlrabi
schälen und in dünne Scheiben schneiden oder mit
einem Gurkenhobel grob raspeln. Den Kohlrabi gleichmäßig auf dem Kaßlerbrot verteilen.

Schweinebraten

Das Brot mit dem Braten belegen. Die Möhren fein-
raspeln und über den Schweinebraten geben.

**1 Scheibe Vollkornbrot ·
100 g magerer Schweine-
braten · 2 Möhren**

Rindersaftbraten auf Vollkornbrot

Das Brot mit Butter bestreichen und mit dem Braten
belegen. Die Gurke in Scheiben schneiden und das
Brot damit verzieren.

**1 Scheibe Vollkornbrot ·
1/2 Teel. Butter · 100 g
Rindersaftbraten ·
1 Gewürzgurke**

Gebratenes Hähnchen auf Vollkornbrot

Das Brot mit Butter bestreichen und mit dem zerpflückten Hähnchen belegen. Den Rettich schälen und feinraffeln. Mit Salz würzen.

**1 Scheibe Vollkornbrot ·
1/2 Teel. Butter ·
1/4 gebratenes Hähnchen
(125 g) · 100 g Rettich ·
Salz**

Tatar mit Tomate

Das Brot mit Butter bestreichen. Das Beefsteakhack
mit der feingehackten Zwiebel, Salz, Pfeffer, Paprikapuder würzen und auf das Brot geben. Mit Tomatenvierteln garnieren.

**1 Scheibe Vollkornbrot ·
1/2 Teel. Butter · 1/4 Pfund
Beefsteakhack · 1/2 Zwie-
bel · Salz · Pfeffer ·
Paprikapuder · 2 Tomaten**

Knackwurst mit Sauerkraut

Das Brot mit der in Scheiben geschnittenen Wurst belegen und mit Senf bestreichen. Dazu das rohe Sauerkraut.

**1 Scheibe Vollkornbrot ·
100 g Knackwurst · Senf ·
200 g rohes Sauerkraut**

Lachsschinken und grüne Gurke

1 Scheibe Vollkornbrot ·
1 Teel. Butter · 6 Scheiben
Lachsschinken (75 g) ·
½ mittelgroße grüne
Gurke

Das Brot mit Butter bestreichen und mit dem Lachsschinken belegen. Die Gurke waschen und mit der Schale in dünne Scheiben schneiden und leicht salzen. Mit den Gurkenscheiben das Brot verzieren.

Katenschinken mit Sauerkraut

1 Scheibe Vollkornbrot
1 Scheibe Katenschinken
(50 g) · 200 g rohes
Sauerkraut

Das Brot mit dem Katenschinken belegen, von dem man den Fettrand entfernt hat. Dazu eine große Portion Sauerkraut.

Schinkenbrot mit Tomate

1 Scheibe Vollkornbrot ·
1½ Eßl. Magerquark ·
Salz · Schnittlauch ·
1 Scheibe gekochten
Schinken (50 g, ohne
Fettrand) · 2 mittelgroße
Tomaten

Das Brot mit dem Quark bestreichen. Leicht salzen und mit Schnittlauchröllchen bestreuen. Den gekochten Schinken darüberlegen. Dazu Tomatenviertel.

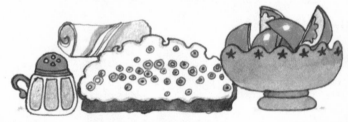

Corned beef und grüne Gurke

1 Scheibe Vollkornbrot ·
100 g Corned beef ·
1 mittelgroße grüne
Gurke · Salz

Das Brot mit dem Corned beef belegen. Die Gurke waschen und mit der Schale in dünne Scheiben schneiden, leicht salzen. Mit den Gurkenscheiben das Brot verzieren.

Fleischwurstbrot mit Rettich und Magerquark

Den Quark mit Salz und Meerrettich verrühren und das Brot damit bestreichen. Darüber die Fleischwurst legen. Den Rettich schälen, raffeln und salzen.

1¹/₂ EßI. Magerquark · Salz · 2 Teel. geriebener Meerrettich · 1 Scheibe Vollkornbrot · 50 g Fleischwurst · 100 g Rettich

Kalbsschinken und Radieschen

Das Brot mit Butter bestreichen und mit dem in dünne Scheiben geschnittenen Kalbsschinken belegen. Die Radieschen in dünne Scheiben schneiden oder mit einem Gurkenhobel grob raspeln und gleichmäßig auf den Schinkenscheiben verteilen.

1 Scheibe Vollkornbrot · ¹/₂ Teel. Butter · 100 g Kalbsschinken · 1 Bund Radieschen

Gekochte Zunge mit Meerrettichquark

Das Brot mit der Zunge belegen. Den Quark mit Salz, Meerrettich und wenig Wasser verrühren und die Zunge damit bestreichen. Mit Tomatenscheiben dekorieren.

1 Scheibe Vollkornbrot · 100 g Rinderzunge · 1¹/₂ EßI. Magerquark · Salz · 1 gehäufter Teel. Meerrettich · 1 Tomate

Leberkäsebrot

Den Quark mit Salz, Tomatenmark und etwas Wasser verrühren und das Brot damit bestreichen. Den Leberkäse darüberlegen. Mit Paprikaringen garnieren.

1¹/₂ EßI. Magerquark · Salz · 1 EßI. Tomatenmark · 1 Scheibe Vollkornbrot · 50 g Leberkäse · 1 kleine Paprikaschote

Spanischer Thunfisch auf Toast

1/2 kleine Paprikaschote · 1/2 große Zwiebel · 1 Tomate · Salatblätter · 50 g Thunfisch in Öl · 1 1/2 Eßl. Magerquark · 2 Eßl. Apfelsinensaft · Zitronensaft · Pfeffer · Cayennepfeffer · Salz · Paprikapuder · 1 Scheibe Toast

Die Paprikaschote und Zwiebel in feine Ringe, die Tomate in kleine Würfel schneiden und die Salatblätter in kleine Stücke zerpflücken. Thunfisch und Quark darunterziehen. Mit Apfelsinen- und Zitronensaft, Pfeffer, Cayennepfeffer, Salz und Paprikapuder kräftig würzen und einige Zeit kühl stellen. Auf warmem Toast servieren.

Schwedische Heringshappen auf Brot

200 g Salzhering · 1 kleine Mohrrübe · 1/2 kleine Zwiebel · Essig · 1 Tabl. Süßstoff · 1 Lorbeerblatt · Pfefferkörner · Petersilie · 1 Scheibe Mischbrot

Den Salzhering enthäuten, ausnehmen, entgräten, wässern und in kleine Würfel schneiden. Die Mohrrübe in kleine Scheiben schneiden, die Zwiebel hacken. In einer Marinade aus Essig, Süßstoff, Gewürzen und gehackter Petersilie gut durchziehen lassen. Dazu Mischbrot.

Rotbarsch auf Brötchen

1 Brötchen · 1 gestr. Teel. Butter · 2 Salatblätter · 1/4 kleine Paprikaschote · 125 g geräucherter Rotbarsch

Brötchen aufschneiden und buttern. Die eine Hälfte mit den Salatblättern, Paprikastreifen und Rotbarsch belegen. Das Brötchen zusammenklappen.

Heringsbrötchen

1/2 Brötchen · 80 g Bismarckheringsfilet · 1 gekochtes Ei · 1/2 kleine Zwiebel · Petersilie

Das Brötchen mit Bismarckhering, Eischeiben, Zwiebelringen und gehackter Petersilie belegen.

Hering auf Brot

Toast buttern, mit Gurkenscheiben belegen, mit Salz, Pfeffer und gewiegter Petersilie bestreuen. Brathering darauflegen.

1 Scheibe Toastbrot · 1 gestr. Teel. Butter · 1 Stückchen grüne Gurke · Salz · Pfeffer · Petersilie · 150 g Brathering in Essig

Ei mit Lachscreme

Das Knäckebrot mit Eischeiben belegen. Den Lachs in feine Streifen schneiden, mit Mayonnaise und Joghurt vermischen. Mit etwas Zitronensaft und frischgemahlenem Pfeffer abschmecken. Auf die Eischeiben häufen, mit gehackter Petersilie bestreuen.

2 Scheiben Knäckebrot · 1 hartgekochtes Ei · 50 g geräucherter Lachs · 1 Teel. Mayonnaise · 1 Eßl. Joghurt · Zitronensaft · Pfeffer · Petersilie

Thunfisch auf Toast

Toastbrotscheibe diagonal durchschneiden, so daß zwei Dreiecke entstehen. Salatblätter und die in Scheiben geschnittene Tomate darauf verteilen, mit wenig Salz und etwas Thymian bestreuen und den Thunfisch obenauflegen. Mit Schnittlauchröllchen bestreuen.

1 Scheibe Toastbrot · 2 Salatblätter · 1 mittelgroße Tomate · Salz · Thymian · 75 g Thunfisch in Öl · Schnittlauch

Geräucherte Flunder

Brötchen aufschneiden, buttern und beide Hälften mit der in Scheiben geschnittenen Tomate belegen. Mit Salz, etwas Thymian und Paprikapuder bestäuben und das entgrätete, enthäutete Flunderfleisch darauflegen. Das Brötchen zusammenklappen.

1 Brötchen · 1 gestr. Teel. Butter · 1 mittelgroße Tomate · Salz · Thymian · Paprikapuder · 150 g geräucherte Flunder

Flunder

1 Scheibe Vollkornbrot ·
$1/2$ Teel. Butter · 150 g
geräucherte Flunder ·
Kresse

Das Vollkornbrot mit Butter bestreichen und mit dem entgräteten, enthäuteten Fisch belegen. Dazu eine Handvoll Kresse zur Dekoration.

Matjesbrötchen

1 Brötchen · 100 g Matjes-
filet · 2 Salatblätter · 1 Eßl.
Curryketchup · $1/2$ kleine
Zwiebel

Das Brötchen halbieren, mit Matjesfilet und Salatblättern belegen, mit Curryketchup und Zwiebelringen garnieren.

Brathering auf Brot

1 Scheibe Mischbrot ·
100 g Brathering in
Essig · $1/2$ Zwiebel

Das Brot mit dem zerpflückten Brathering belegen. Die Zwiebel in dünne Ringe schneiden und die Zwiebelringe auf dem Brathering verteilen.

Seelachsbrötchen

1 Brötchen · 1 Teel.
Butter · 100 g
geräucherter Seelachs ·
2 mittelgroße Tomaten ·
Salz · Pfeffer

Das Brötchen halbieren, mit Butter bestreichen und mit dem Seelachs belegen. Die Tomaten in dünne Scheiben schneiden und mit Salz und Pfeffer würzen.

Ölsardinenbrötchen

75 g Ölsardinen ·
1 Brötchen · 1 Bund
Radieschen · Salz

Die Ölsardinen abtropfen lassen. Das Brötchen halbieren und mit den Ölsardinen belegen. Die Radieschen feinraffeln und leicht salzen.

Mainzer Käsebrötchen

Brötchen aufschneiden, buttern und mit Gurkenscheiben belegen. Mit Salz, Pfeffer und Dill bestreuen. Den in Scheiben geschnittenen Mainzer Käse darauflegen. Das Brötchen zusammenklappen.

1 Brötchen · 2 gestr. Teel. Butter · 1 Stückchen grüne Gurke · Salz · Pfeffer · Dill · 62,5 g (¹/₈ Pfund) Mainzer (10% Fett)

Liptauer auf Vollkornbrot

Den Schichtkäse mit Salz, Paprikapuder, etwas Senf, Kümmel und der feingehackten Zwiebel verrühren. Mit Schnittlauch bestreuen und auf das mit Tomatenscheiben belegte Vollkornbrot geben.

4 Eßl. Schichtkäse (10% Fett) · Salz · Paprikapuder · Senf · Kümmel · ¹/₂ kleine Zwiebel · Schnittlauch · 2 Tomaten · 1 Scheibe Vollkornbrot

Paprikaquarkbrot

Das Brot mit Margarine bestreichen. Den Quark leicht salzen, die Paprikaschote feinhacken, daruntermischen und mit reichlich Paprikapuder bestreuen.

1 Scheibe Mischbrot · 1 Scheibe Knäckebrot · ¹/₂ Teel. Margarine · 4¹/₂ Eßl. Magerquark · Salz · ¹/₂ kleine Paprikaschote · Paprikapuder

Senfquark

4½ Eßl. Magerquark ·
1 Teel. Öl · ½ Zwiebel ·
Salz · Senf · ⅓ grüne
Gurke · 1 Scheibe
Vollkornbrot

Den Quark mit Öl, gehackter Zwiebel, Salz, Senf und etwas Wasser kräftig verrühren. Auf dem mit Gurkenscheiben belegten Vollkornbrot anrichten.

Romadur auf Brot

1 Scheibe Vollkornbrot ·
⅛ Pfund Romadur (20%
Fett) · 100 g Mohrrüben ·
Salz · Zitronensaft ·
½ Becher Buttermilch

Brot mit Romadur belegen, Mohrrüben feinraffeln und mit Salz und Zitronensaft abschmecken. Dazu Buttermilch trinken.

Kräuterkäsebrot

4 Eßl. Schichtkäse (10%
Fett) · Salz · Petersilie ·
Schnittlauch · Dill ·
1 kleine Gewürzgurke ·
1½ Scheiben Mischbrot

Den Schichtkäse mit Salz abschmecken und die feingehackten Kräuter und die gehackte Gurke untermischen. Das Brot mit dem Käse bestreichen.

Schmelzkäse auf Brot

1 Scheibe Mischbrot ·
1 Teel. Tomatenmark ·
Salatblätter · 1 Ecke
Schmelzkäse (20% Fett) ·
1 Becher Magermilch

Das Brot mit Tomatenmark bestreichen, mit Salatblättern und dem quer durchgeschnittenen Schmelzkäse belegen. Dazu Milch trinken.

Harzer Käse auf Brot

Das Brot mit Margarine bestreichen, mit Käse belegen.
Dazu Radieschen.

**1¹/₂ Scheiben Mischbrot ·
¹/₂ Teel. Margarine ·
¹/₈ Pfund Harzer Käse
(10% Fett) · 1 Bund
Radieschen**

Käsebrot

Toast mit Tomatenmark bestreichen. Mit feinen Paprikastreifen und Käse belegen.

**1 Scheibe Toastbrot ·
1 Teel. Tomatenmark ·
¹/₄ kleine Paprikaschote ·
3 Scheiben Goudakäse
(60 g, 30% Fett)**

Tilsiter Käsebrot

Brot buttern und mit Käse belegen. Essiggurke in Streifen schneiden und den Käse damit garnieren.

**1 Scheibe Vollkornbrot ·
1 gestr. Teel. Butter ·
3 Scheiben Tilsiter Käse
(60 g, 20% Fett) · 1 kleine
Essiggurke**

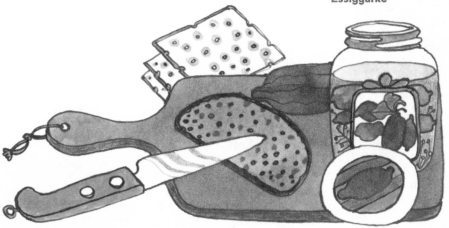

Würzkäse mit Brötchen

1 Brötchen · 1 gestr. Teel. Butter · 125 g Schichtkäse (10 % Fett) · Salz · grobgemahlener Pfeffer · Paprikapuder · Zwiebelgewürz · 2 Salatblätter · 1 mittelgroße Tomate

Auf das gebutterte Brötchen den gewürzten Schichtkäse und Salatblätter geben. Mit Tomatenscheiben garnieren.

Kümmelquarkbrot

1 Scheibe Vollkornbrot · 1 Teel. Margarine · 4¹/₂ Eßl. Magerquark · Salz · Kümmel · Salatblätter

Das Brot mit Margarine bestreichen. Quark mit Wasser, Salz und Kümmel verrühren und auf die Salatblätter geben. Salatblätter auf das Brot legen.

Kochkäse mit Gurke

1 Scheibe Vollkornbrot · 1 Teel. Margarine · ¹/₈ Pfund Kochkäse (10 % Fett) · ¹/₃ grüne Gurke · Kümmel

Das Brot mit Margarine und Kochkäse bestreichen, darauf Gurkenscheiben und Kümmel.

Currykäsebrot

1 Scheibe Vollkornbrot · ¹/₃ grüne Gurke · 4 Eßl. Schichtkäse (10 % Fett) · Salz · Currypuder

Das Brot mit Gurkenscheiben belegen. Den Schichtkäse mit etwas Salz und Currypuder würzen, aufs Brot streichen und – zur Dekoration – mit reichlich Currypuder bestreuen.

Tomatenquarkbrot

Die Margarine auf das Brot streichen, mit Salatblättern belegen. Quark mit Salz, gehackter Zwiebel und Tomatenmark verrühren und auf die Salatblätter geben.

¹/₂ Teel. Margarine · 1¹/₂ Scheiben Mischbrot · Salatblätter · 1¹/₂ EßI. Magerquark · Salz · ¹/₂ Zwiebel · 1 EßI. Tomatenmark

Camembertbrot und Tomaten

Das Brot mit Butter bestreichen und mit Camembert belegen. Die Tomaten in dünne Scheiben schneiden und auf dem Käse verteilen. Mit Zwiebel, Salz und Pfeffer würzen.

1 Scheibe Vollkornbrot · ¹/₂ Teel. Butter · ¹/₂ Camembert (30 g, 30%) · 2 kleine Tomaten · Zwiebel · Salz · Pfeffer

Schweizer Käse

Das Brot mit Butter bestreichen und mit dem Käse belegen. Die Gurke mit Schale in dünne Scheiben schneiden, leicht salzen und das Käsebrot mit den Gurkenscheiben verzieren.

1 Scheibe Vollkornbrot · ¹/₂ Teel. Butter · 1 Scheibe Schweizer Käse (30 g, 45%) · ¹/₂ grüne Gurke · Salz

Obstsalat mit Quarksoße

10 g Löffelbiskuit · 1 EßI. Rum · ¹/₂ Banane (50 g) · 1 kleine Apfelsine (100 g) · Zitronensaft · 1 Teel. Puderzucker (5 g) · 5 EßI. Magerquark (150 g) · 6–7 EßI. Wasser · Süßstoff · abgeriebene Zitronenschale

Die Biskuits in ein Schälchen legen und mit Rum beträufeln. Das Obst schälen und in kleine Scheiben schneiden. Über die Biskuits geben, mit wenig Zitronensaft beträufeln; mit Puderzucker bestäuben. Den Quark mit Wasser verrühren, mit Süßstoff süßen, mit abgeriebener Zitronenschale würzen; über das Obst geben. Kühl servieren.

Quarkspeise mit Früchten

5 EßI. Magerquark · ¹/₂ Becher Vollmilch · 1 EßI. Zitronensaft · 125 g Himbeeren · 4 gestr. Teel. Zucker

Den Quark mit der Milch cremig rühren. Zitronensaft, die frischen Früchte und den Zucker zufügen und alles miteinander mischen. Die Quarkspeise sehr gut kühlen.

Früchtequark

125 g Magerquark (4 EßI.) · ¹/₂ Becher Trinkmilch-Joghurt · 1 Tabl. Süßstoff · 125 g schwarze Johannisbeeren · 125 g rote Johannisbeeren · 1 kleine Stange Rhabarber · 2 gestr. Teel. Zucker

Den Quark mit etwas Wasser cremig rühren, den Joghurt dazugeben und mit dem aufgelösten Süßstoff süßen. Die Johannisbeeren waschen, den Rhabarber schälen und in kurze Stücke schneiden. Die Früchte mit dem Quark vermischen, mit Zucker bestreuen.

Zwischenmahlzeiten

Wer mit dem Tagesmenü – dem Frühstück, der warmen und der kalten Mahlzeit – nicht auskommt und wer sich von seinen Pfunden nicht gar zu schnell trennen möchte, für den gibt es hier noch eine Reihe von kleinen Mahlzeiten mit unterschiedlichem Kaloriengehalt, die er sich gönnen kann, wenn der Magen nach einer Kalorienzulage verlangt. Denken Sie aber daran, wenn Sie nach Zwischenmahlzeiten schielen, daß sie in jedem Fall eine kleine Kursabweichung bedeuten.

Orangen-Express

Eiswürfel · 2 Apfelsinen ·
1 Schuß Wermut ·
Mineralwasser

Zwei bis drei Eiswürfel in ein hohes Glas geben. Die Apfelsinen auspressen und den Saft in das Glas gießen. Einen Schuß Wermut dazugeben und alles mit Mineralwasser auffüllen. Mit einer Apfelsinenspirale verzieren.

Pampelmusen-Gin

Eiswürfel · 1/2 Becher
Pampelmusensaft
(Dose) · 1 Schuß Gin ·
Mineralwasser ·
1 Zitronenscheibe

Zwei bis drei Eiswürfel in ein hohes Glas geben. Den Pampelmusensaft dazugießen, mit einem Schuß Gin und Mineralwasser auffüllen. Mit einer Zitronenscheibe verzieren.

Apfelsaft mit Schuß

Eiswürfel · 1/2 Becher
Apfelsaft · einige Spritzer
Angostura-Bitter ·
Mineralwasser

2–3 Eiswürfel zerstoßen und in ein hohes Glas geben. Den Apfelsaft dazugießen und mit einigen Spritzern Angostura-Bitter würzen. Mit Mineralwasser auffüllen.

Lebkuchenherzen

80 g Zucker · 1/2 Teel.
Butter · 1 Ei · 40 g Honig ·
200 g Mehl · 1 Teel.
Backpulver · 1/2 Teel.
Zimt · 1/2 Teel. Nelken-
pulver · 1 Messerspitze
Kardamom · 3 EßI.
Dosenmilch 7,5%ig,
ungezuckert · 2 EßI.
Mandeln

Zucker, Butter und Ei schaumig rühren und den flüssigen Honig hinzufügen. Das Mehl sieben, mit Backpulver und den Gewürzen vermischen. Die Schaummasse zugeben und alles gut miteinander verkneten. Den Teig auf einem bemehlten Holzbrett nicht zu dünn ausrollen und 30 kleine Herzen ausstechen. Mit Dosenmilch bestreichen und mit Mandelsplittern bestreuen. Auf einem gefetteten Backblech etwa 20 Minuten bei Mittelhitze backen. Jedes Stück enthält 50 Kalorien.

Haselnußkugeln

Eiweiß steif schlagen, Zucker löffelweise unterziehen. Vanille zugeben. Die gemahlenen Nüsse dazugeben und den Teig etwas ruhen lassen. Danach 50 kleine Kugeln formen und auf Oblaten setzen. In jede Kugel ein kleines Nußstück drücken und im heißen Ofen backen. Jedes Stück enthält 50 Kalorien.

**3 Eiweiß · 200 g Zucker ·
1 Messerspitze Bourbon-
Vanille · 200 g Haselnüsse
(ohne Schale) ·
50 Oblaten · 40 g
Haselnußkerne zur
Dekoration**

Aprikosenmilch

**100 g Aprikosen ·
Süßstoff · 1 Becher
Magermilch · Eiswürfel**

Die Aprikosen mit wenig Wasser und etwas Süßstoff weich kochen. Die Früchte pürieren, mit Milch auffüllen und kräftig durchschlagen. Mit Eiswürfeln servieren.

Erdbeermilch

**50 g Erdbeeren ·
Zitronensaft · Süßstoff ·
1/2 Becher Vollmilch ·
1 Teel. Schlagsahne**

Die Erdbeeren mit einer Gabel zerdrücken. Etwas Zitronensaft und Süßstoff zugeben und mit der Milch auffüllen. Kräftig durchschlagen. Zur Dekoration: ein Klecks Schlagsahne und eine Erdbeere.

Himbeermilch

**50 g Himbeeren ·
Süßstoff · 1 Becher
Magermilch · 1 Teel.
Schlagsahne**

Die Himbeeren mit einer Gabel zerdrücken, mit etwas Süßstoff süßen und mit Milch auffüllen. Kräftig durchschlagen und mit einem Klecks Sahne anrichten.

Bananenmilch

**1/2 kleine Banane ·
1 Becher Magermilch ·
Zitronensaft · Süßstoff**

Die Banane mit einer Gabel zerdrücken, die Milch zugeben und verquirlen. Mit Zitronensaft und Süßstoff abschmecken.

Pfirsichmilch

**100 g Pfirsich · 1 Becher
Magermilch · Süßstoff ·
Eiswürfel**

Den Pfirsich entsteinen, enthäuten und pürieren. Die Milch dazugießen und mit Süßstoff nachsüßen. Mit einem oder zwei Eiswürfeln servieren.

Pfirsichtörtchen

Die enthäutete Pfirsichhälfte in etwas Wasser mit Süß-stoff weich dünsten. Abtropfen lassen und das Törtchen damit belegen. Die aufgelöste Gelatine darübergeben und kalt werden lassen.

¹/₂ kleiner Pfirsich · Süßstoff · 1 Biskuit-tortelett (20 g, Fertig-produkt) · Gelatine

Aprikosentörtchen

Die gewaschenen Aprikosen enthäuten, entkernen und in wenig Wasser mit Süßstoff und Bourbon-Vanille weich dünsten. Die Früchte abtropfen lassen und das Törtchen damit belegen. Die Gelatine darübergeben und kalt werden lassen.

2 Aprikosen · Süßstoff · Bourbon-Vanille · 1 Biskuittortelett (20 g, Fertigprodukt) · Gelatine

Johannisbeertörtchen mit Baiserguß

**75 g rote Johannis-
beeren · 1 fertig-
gekauftes Biskuittortelett
(20 g) · Süßstoff ·
¹/₄ Eiweiß · 1 Teel. Zucker**

Die Johannisbeeren waschen und auf das Törtchen legen. Mit etwas aufgelöstem Süßstoff bestreichen (nicht zuviel). Das sehr steif geschlagene, gezuckerte Eiweiß als Häubchen auf die Früchte setzen. Im heißen Backofen den Eiweißguß leicht braun werden lassen.

Stachelbeertörtchen mit Baiserguß

**75 g Stachelbeeren ·
Süßstoff · etwas Bour-
bon-Vanille · 1 fertig-
gekauftes Biskuittortelett
(20 g) · ¹/₄ Eiweiß ·
1 Teel. Zucker**

Die Stachelbeeren waschen, in wenig Wasser mit Süßstoff und etwas Bourbon-Vanille weich dünsten. Abtropfen lassen und das Törtchen mit den Früchten belegen. Das sehr steif geschlagene Eiweiß zuckern und als Häubchen auf das Obst setzen. Im heißen Ofen leicht braun werden lassen.

Mokkamilch

Die Milch mit Pulverkaffee und Süßstoff mit einem Schneebesen gut durchschlagen. Mit der geschlagenen Sahne verquirlen und in ein Glas geben. Kühl servieren.

1 Becher Magermilch · 1–2 Teel. Pulverkaffee · Süßstoff · 1 Eßl. Schlagsahne

Floridamilch

Milch, Zucker und abgeriebene Apfelsinenschale verquirlen und unter kräftigem Schlagen den Apfelsinensaft unterrühren. Mit zwei Eiswürfeln servieren.

1 Becher Magermilch · 1 Teel. Zucker · Apfelsinenschale · 3 Eßl. Apfelsinensaft · Eiswürfel

Erdbeermix

Die Erdbeeren pürieren und mit der Milch und dem Süßstoff gut verquirlen. Dazu vier Kräcker.

125 g Erdbeeren · ¹/₈ Liter Vollmilch · Süßstoff · 4 Kräcker

Bananenmix

Die Banane mit einer Gabel zerdrücken und mit Milch und Süßstoff gut verquirlen. Das Knäckebrot mit Butter bestreichen und dazuessen.

¹/₂ Banane · ¹/₈ Liter Vollmilch · Süßstoff · 1 Scheibe Knäckebrot · ¹/₂ Teel. Butter

Himbeermilch

Die Milch mit dem Himbeersaft gut verquirlen und kühl servieren.

¹/₄ Liter Vollmilch · 2 Eßl. gesüßten Himbeersaft

Pfirsichsalat

400 g Pfirsiche · Süßstoff ·
Zitronensaft · 1 Schuß
Weinbrand · 1 Teel.
Haselnüsse

Die Pfirsiche überbrühen, enthäuten und entsteinen.
Die Früchte in Scheibchen schneiden, mit Süßstoff,
etwas Zitronensaft und einem Schuß Weinbrand abschmecken und die gehackten Nüsse darüberstreuen.
Sehr kalt servieren.

Birnensalat

250 g Birnen · 1 knapper
Eßl. Rum · Süßstoff ·
etwas Zimt · 2 Teel.
Rosinen

Die Birnen waschen, schälen und in feine Scheibchen
schneiden. Mit Rum beträufeln, mit Süßstoff und Zimt
abschmecken und die Rosinen daruntermengen. Vor
dem Servieren in den Kühlschrank stellen.

Aprikosensalat

300 g Aprikosen ·
2 knappe Eßl. Weißwein ·
etwas Süßstoff ·
Zitronensaft · 1 Teel.
Zucker

Die gewaschenen Aprikosen überbrühen. Enthäuten,
entsteinen und in Scheibchen schneiden. Mit Weißwein
beträufeln, einige Zeit stehenlassen. Mit Süßstoff süßen, mit etwas Zitronensaft und dem Teel. Zucker abschmecken.

Bunter Salat

250 g Pfirsiche · 1/2 kleine
Banane · 125 g
Brombeeren · etwas
Zitronensaft · Süßstoff

Die Pfirsiche überbrühen, enthäuten, entsteinen und in
Scheiben schneiden. Banane kleinschneiden. Die gewaschenen Brombeeren daruntermischen. Mit Zitronensaft und in wenig Wasser aufgelöstem Süßstoff abschmecken. Den Salat eine Weile ziehen lassen, in den
Kühlschrank stellen und kühl servieren.

Obstsalat mit Joghurtsoße

Kirschen, Stachel- und Johannisbeeren waschen und mischen. Den Joghurt mit Süßstoff süßen, mit etwas Bourbon-Vanille abschmecken und gut unter die Früchte mengen.

100 g Kirschen · 100 g Stachelbeeren · 100 g schwarze Johannisbeeren · 1 Becher Magermilch-Joghurt · Süßstoff · etwas Bourbon-Vanille

Preiselbeerkompott

Die Preiselbeeren mit dem kleingeschnittenen Apfel in wenig Wasser bei milder Hitze kochen. Mit Süßstoff süßen, den Zucker darüberstreuen.

250 g Preiselbeeren · ¹/₂ mittelgroßer Apfel · Süßstoff · 1 Teel. Zucker

Blaubeerkompott

Die Blaubeeren waschen und mit wenig Wasser bei milder Hitze kochen, aber nicht zerfallen lassen. Mit etwas Süßstoff und abgeriebener Zitronenschale gut abschmecken.

400 g Blaubeeren · Süßstoff · etwas abgeriebene Zitronenschale

Aprikosenkompott

Die Aprikosen waschen, entsteinen, mit Süßstoff und einigen gehackten Aprikosenkernen in wenig Wasser weich dünsten. Nach dem Erkalten mit dem Zucker nachsüßen.

250 g Aprikosen · etwas Süßstoff · 1 schwach gehäufter Eßl. Zucker

Stachelbeerkompott

250 g Stachelbeeren ·
etwas Süßstoff ·
1 Päckchen Vanillezucker ·
1 knapper Eßl. Zucker

Die Stachelbeeren waschen und in wenig Wasser mit etwas Süßstoff bei milder Hitze weich kochen. Mit Vanillezucker und Zucker abschmecken.

Rhabarberkompott

500 g Rhabarber ·
Süßstoff · 1 Päckchen
Vanillezucker · 1Eßl.
Zucker

Den gut gewaschenen Rhabarber in 3 Zentimeter lange Stücke schneiden und in sehr wenig Wasser mit etwas Süßstoff bei schwacher Hitze weich dünsten, aber nicht zerfallen lassen. Kurz vorm Servieren Vanillezucker und Zucker über das kalte Kompott streuen.

Erdbeer-Kaltschale

3–4 Tabl. Süßstoff ·
etwas abgeriebene
Zitronenschale · 1 gestr.
Eßl. Stärkepuder · 500 g
frische Erdbeeren

Gut 1/4 Liter Wasser mit dem Süßstoff und der abgeriebenen Zitronenschale zum Kochen bringen. Den kalt angerührten Stärkepuder einrühren und nochmals kurz aufkochen lassen. Die sauberen Erdbeeren mit einer Gabel zerdrücken oder im Mixbecher pürieren und in die heiße Flüssigkeit geben. Einige Minuten ziehen lassen, dann kalt stellen.

Kirschen-Kaltschale

350 g frische
Sauerkirschen · etwa
5 Tabl. Süßstoff ·
1 Stückchen Zitronen-
schale · 1 gestr. Eßl.
Stärkepuder

Die Kirschen entsteinen und mit einigen Steinen, dem Süßstoff und dem Stückchen Zitronenschale in knapp 1/2 Liter Wasser weich kochen. Den kalt angerührten Stärkepuder zugeben und unter Rühren nochmals kurz aufkochen lassen. Kalt stellen.

Pfirsich-Kaltschale

Pfirsiche kurz in heißes Wasser tauchen, die Haut abziehen. Die Früchte entsteinen und in Streifen schneiden. Mit dem Wein begießen und kurz ziehen lassen. Pfirsiche mit einigen aufgeklopften Pfirsichkernen in wenig Wasser mit Süßstoff und der abgeriebenen Zitronenschale weich kochen. Den Wein zugeben und die Suppe mit Stärkepuder binden. Kalt stellen.

250 g frische Pfirsiche · ¹/₂ Joghurt-Becher Weißwein · 2–3 Tabl. Süßstoff · etwas abgeriebene Zitronenschale · 1 gehäufter Teel. Stärkepuder

Birnen-Kaltschale

Die Birnen schälen, das Kerngehäuse entfernen und in etwa ¹/₄ Liter Wasser zusammen mit dem Süßstoff und den Rosinen weichkochen. Den Topf vom Herd nehmen. Das Puddingpulver mit wenig kaltem Wasser anrühren, Vanille zugeben und unter die Birnen rühren. Nochmals aufkochen lassen, mit Zitronensaft und abgeriebener Zitronenschale abschmecken und kalt stellen.

250 g Birnen · 3–4 Tabl. Süßstoff · 1 Eßl. Rosinen · 1 gestr. Eßl. Vanillepuddingpulver · Vanillemark · Zitronensaft · Zitronenschale

Joghurt-Kaltschale

125 g Himbeeren · 1 gestr. Teel. Zucker · 1 Becher Trinkmilch-Joghurt · 2 Tabl. Süßstoff

Die Himbeeren gründlich waschen, gut abtropfen, mit Zucker bestreuen und kurz durchziehen lassen. Den gekühlten Joghurt mit Süßstoff süßen, mit einem elektrischen Quirl schaumig schlagen und über die Früchte geben. Kalt servieren.

Aprikosen-Kaltschale

¹/₄ Liter Buttermilch · Zitronenschale · 2–3 Tabl. Süßstoff · ¹/₄ Scheibe Schwarzbrot (10 g) · 30 g getrocknete Aprikosen

Die Buttermilch kräftig schlagen. Die abgeriebene Zitronenschale und den aufgelösten Süßstoff darunterrühren. Das Schwarzbrot und die eingeweichten Aprikosen unterziehen und für mindestens eine halbe Stunde in den Kühlschrank stellen. Eiskalt servieren.

Quark mit Apfelsine

125 g Magerquark · 1 Teel. Zucker · 1 kleine Apfelsine

Den Quark mit wenig Wasser und einem elektrischen Rührstab oder einem Schneebesen schaumig rühren und mit dem Zucker und der in kleine Stücke geschnittenen Apfelsine verquirlen.

Quark mit Pfirsich

125 g Magerquark · 1 Teel. Zucker · 1 mittelgroßer Pfirsich

Den Quark mit wenig Wasser und einem elektrischen Rührstab oder einem Schneebesen kräftig schlagen und mit dem Zucker und dem in kleine Stücke geschnittenen Pfirsich verquirlen.

Quark mit Himbeeren

Den Quark und etwas Wasser mit Hilfe eines elektrischen Rührstabs kräftig schlagen und mit dem Zucker und den gewaschenen Himbeeren verquirlen.

125 g Magerquark · 1 Teel. Zucker · 125 g frische Himbeeren

Quark mit Erdbeeren

Den Quark mit etwas Wasser glattrühren, zuckern, die Masse ziehen lassen und schließlich mit den gewaschenen Erdbeeren verquirlen.

125 g Magerquark · 1 Teel. Zucker · 125 g frische Erdbeeren

Quark mit Banane

Den Quark mit wenig Wasser glattrühren und mit dem Zucker und der zerdrückten Banane verquirlen.

125 g Magerquark · 1 Teel. Zucker · 1/2 mittelgroße Banane

Milch mit Zwieback

Die kalte Milch in einen tiefen Teller geben und den Zwieback hineinbrocken.

1/4 Liter Vollmilch · 1 Zwieback

Kakaomilch

Die Milch kurz aufkochen lassen und mit dem Kakaopulver und etwas Süßstoff verquirlen. Den Kakao in ein Glas gießen und heiß servieren. Wer lieber eine Erfrischung haben will, kann den Kakao auch kurz in dem Kühlschrank abkühlen lassen.

1/4 Liter Vollmilch · 1 Teel. Kakaopulver · Süßstoff

Kakao mit Butterbrot

¹/₈ Liter Vollmilch ·
¹/₂ Teel. Kakaopulver ·
Süßstoff · 2 Scheiben
Knäckebrot · ¹/₂ Teel.
Butter

Die Milch kurz aufkochen und mit dem Kakaopulver und dem Süßstoff verquirlen. Das Knäckebrot mit Butter bestreichen.

Zwieback mit Butter

3 Zwiebäcke · 1 Teel.
Butter · Kaffee oder Tee

Die Zwiebäcke mit Butter bestreichen. Dazu Kaffee oder Tee ohne Milch und Zucker.

Honigbrötchen

1 Brötchen · ¹/₂ Teel.
Butter · 1 Teel. Honig ·
Kaffee oder Tee

Das Brötchen aufschneiden und mit Butter bestreichen. Den Honig auf beiden Brötchenhälften verteilen. Dazu Kaffee oder Tee ohne Milch und Zucker.

Erbsensuppe

Erbsensuppe (Tüte,
Fertigprodukt) · 1 kleines
Würstchen (50 g)

Die entsprechende Menge Erbsensuppe aus der Tüte mit einer Tasse Wasser aufkochen. Das Würstchen in Scheiben schneiden und in der Suppe ziehen lassen.

Tomatensuppe

Tomatensuppe (Tüte,
Fertigprodukt) ·
1 Brötchen

Die entsprechende Menge Tomatensuppe aus der Tüte mit einer Tasse Wasser aufkochen. Dazu ein trockenes Brötchen.

Gulaschsuppe

Die entsprechende Menge Gulaschsuppe aus der Tüte mit einer Tasse Wasser aufkochen. Dazu ein Brötchen.

Gulaschsuppe (Tüte, Fertigprodukt) · 1 Brötchen

Mürbetörtchen

Das Obst abtropfen lassen und auf das Törtchen legen. Aus dem Saft des Obstes, Süßstoff und Gelatine einen Guß bereiten und über das Törtchen geben. Erst kalt werden lassen und dann servieren.

¹/₂ kleiner Pfirsich oder 50 g Aprikosen oder 50 g Brombeeren oder 50 g Pflaumen (alles aus der Dose) · 1 Mürbeteig-Törtchen (30 g, Fertig-produkt) · Süßstoff · Gelatine

Apfelkuchen mit Guß

Mehl, Ei, Margarine, die Prise Salz und die abgeriebene Zitronenschale zu einem Mürbeteig verkneten und eine halbe Stunde kalt stellen. Dann den Teig in einer Spring-form mit 24 Zentimeter Durchmesser ausrollen. Äpfel schälen und das Kernhaus entfernen. In Scheiben schneiden, mit etwas Süßstoff und Zimt abschmecken, auf den Teig legen und etwa 20 Minuten bei mittlerer Hitze backen. In der Zwischenzeit den Joghurt mit dem Ei und aufgelöstem Süßstoff cremig schlagen und auf den fast fertigen Kuchen streichen. Anschließend den Kuchen noch 10 Minuten in den Ofen schieben, bis der Guß fest ist. Teilen Sie den Kuchen dann in acht gleich große Teile: Jedes Stück hat 200 Kalorien.

150 g Mehl · 1 Ei · 75 g Margarine · 1 Prise Salz · Zitronenschale · 500 g Äpfel · Süßstoff · Zimt · 1 Becher Magermilch-Joghurt · 1 Ei · Süßstoff

Kirschtorte

150 g Mehl · 1 Ei · 75 g Margarine · 1 Prise Salz · Zitronenschale · 750 g Kirschen · Süßstoff · 1¹/₂ Blatt Gelatine

Mehl, Ei, Margarine, die Prise Salz und die abgeriebene Zitronenschale zu einem Mürbeteig verkneten und eine halbe Stunde kalt stellen. Dann den Teig in einer Springform mit 24 Zentimeter Durchmesser ausrollen. Die Kirschen entsteinen und in etwas Wasser mit Süßstoff weichdünsten. Auf den gebackenen Mürbeteigboden legen. Die Gelatine in kaltem Wasser einige Minuten einweichen, danach in einem achtel Liter Kirschsaft gut auflösen. Abgekühlt auf die Früchte geben und ganz steif werden lassen. Die Torte in acht gleich große Teile teilen: Jedes Stück enthält 200 Kalorien.

Pfirsichtorte

3 Pfund Pfirsiche · Süßstoff · 1 Biskuittortenboden (220 g, Fertigprodukt) · 1 Eßl. Rum · 1¹/₂ Blatt Gelatine

Die Pfirsiche überbrühen, enthäuten, entkernen und kleinschneiden. Zusammen mit einigen gehackten Pfirsichkernen und etwas Süßstoff in Wasser weichdünsten. Den Tortenboden mit Rum beträufeln und mit den Früchten belegen. Für den Guß die Gelatine einige Minuten in kaltem Wasser einweichen und in einem achtel Liter kochendem Pfirsichsaft auflösen. Abgekühlt auf die Früchte verteilen und im Kühlschrank steif werden lassen. Die Torte in acht gleich große Teile teilen: Jedes Stück enthält 200 Kalorien.

Rezept- und Sachregister

**Die Gymnastik
zur
Brigitte Diät**

Die „Brigitte Diät" verhalf Ihnen zum Idealgewicht. Die „Brigitte Gymnastik"
erhält Sie schlank, jung und topfit.

Ilse Döring

Brigitte Gymnastik

Schlanker   Jünger   Schöner

160 Seiten mit über 300 zweifarbigen Zeichnungen

Endlich ein Gymnastikbuch, das auch individuelle Wünsche erfüllen kann!
In Zusammenarbeit mit einer Gymnastik-Pädagogin hat Brigitte-Redakteurin
Ilse Döring ein Programm erarbeitet, das zum Lesen, Üben und Mitmachen
reizt. Ob man seine Haltung verbessern, den ganzen Körper trainieren oder
Gesichtsgymnastik treiben will, ob mit Einzelübungen oder einem kompletten
Wochenprogramm, in diesem Buch findet man die besten und wirkungs-
vollsten Brigitte-Übungen verständlich und anschaulich in Text und Bild zu-
sammengefaßt.

Bertelsmann Ratgeberverlag